MARIE-FRANCE HIRIGOYEN

Docteur en médecine depuis 1978, Marie-France Hirigoyen s'est ensuite spécialisée en psychiatrie. Elle est également psychanalyste, psychothérapeute familiale, et elle anime depuis 1985 des séminaires de gestion du stress en entreprise. Elle s'est également formée en victimologie, aux États-Unis d'abord, puis en France où elle a soutenu en 1995 un mémoire intitulé *La destruction morale, les victimes des pervers narcissiques*. Elle a ensuite centré ses recherches sur la violence psychologique et a publié en 1998 un essai, *Le harcèlement moral, la violence perverse au quotidien* (1998), qui a connu un immense succès et a été traduit dans 24 pays. Dans son deuxième livre, *Le harcèlement moral dans la vie professionnelle, démêler le vrai du faux* (2001), poursuivant sa réflexion, elle a étudié spécifiquement ce phénomène dans le monde du travail.

Femmes sous emprise, les ressorts de la violence dans le couple, paru en 2005 (Oh ! Éditions) traite plus spécifiquement des différentes formes de violence dans le couple.

FEMMES
SOUS EMPRISE

MARIE-FRANCE HIRIGOYEN

FEMMES
SOUS EMPRISE

*Les ressorts de la violence
dans le couple*

OH ! ÉDITIONS

© Oh ! Éditions, 2005
ISBN 978-2-266-15758-2

INTRODUCTION

Tout pouvoir est un pouvoir de vie ou de mort.

Michel Foucault

On n'a jamais autant parlé de la violence, jamais autant invité à la débusquer et à la combattre, et pourtant, si on considère la littérature psychiatrique générale, il est surprenant de constater qu'il existe peu d'écrits sur celle qui s'exerce dans le couple. Même si elle a toujours existé, on aurait pu croire qu'avec la montée du féminisme les choses évolueraient et qu'une plus grande égalité entre les hommes et les femmes entraînerait moins de violence. Il n'en est rien.

De même, un certain adoucissement des mœurs dans nos sociétés occidentales aurait dû rendre plus sensible à ce phénomène ; des choses naguère permises sont aujourd'hui interdites. Cependant, la violence n'a pas disparu, elle s'est seulement faite plus subtile. Partout on la condamne, mais cette condamnation morale de principe ne touche que sa part visible. Derrière un pacifisme et même un angélisme de façade, nous laissons se perpétuer des violences majeures pour peu qu'elles ne concernent que les plus vulnérables, à savoir les femmes et les enfants. D'une façon générale, la violence est difficile à penser, ce qui explique que nous ayons du mal à la repérer. Nous ne voulons pas la voir en nous, même si accepter notre ambivalence nous permettrait de mieux la combattre. Malgré notre vigilance, nous ne voyons, la plupart du temps, qu'après coup ses premiers signes.

En ce qui concerne les couples, ce problème est encore plus dérangeant. Nous avons du mal à croire que cette violence ordinaire se produit dans des familles ordinaires, que les hommes violents ne sont pas uniquement des brutes avinées. On préférerait reléguer cette problématique aux marges, l'attribuer aux classes sociales défavorisées. Or, il existe des individus violents dans tous les milieux. Nous avons du mal à le croire, aussi, lorsque la violence est l'œuvre d'un notable, à plus forte raison de quelqu'un qui est supposé protéger ou soigner, comme un magistrat ou un médecin, on préfère alors mettre en doute le témoignage de la victime. La violence au sein du couple nous touche de si près que la plupart des réactions aux récits qu'en font les victimes sont excessives, soit dans le sens de la banalisation, soit dans le sens de la médiatisation outrancière. Nous voulons continuer à croire aux stéréotypes véhiculés par les médias : deux êtres se rencontrent, s'aiment et vivent heureux. Au fond, nous avons peur de la violence qui sommeille en nous.

Ce n'est que depuis les années 1970, avec les actions des féministes, que l'on a commencé à étudier l'impact de la violence conjugale sur les femmes.

Jusqu'alors, on hésitait à intervenir sous prétexte qu'il s'agissait d'une histoire privée. Encore maintenant, les faits divers des journaux peuvent nous donner à penser qu'il s'agit d'un phénomène marginal, or c'est un véritable fléau social qui n'est pas suffisamment pris en considération. Les chiffres, qui ne tiennent compte que des violences physiques parvenues au judiciaire, sont effarants. Des statistiques partielles du ministère de l'Intérieur (excluant Paris et la région parisienne) dénombrent, chaque quinzaine, trois homicides de femmes tuées par leur conjoint. Le phénomène est tel que certains parlent d'un terrorisme de genre et, d'ailleurs, la plupart des enquêtes spécifiques sur la violence conjugale ont été réalisées à la demande des ministères des Droits des femmes ou de la Parité et de l'Égalité professionnelle, sous la pression d'ONG de femmes. Ce problème de santé mentale extrêmement destructeur est rarement débattu et, malgré ses conséquences graves sur la santé des victimes, il n'est enseigné aux futurs médecins qu'à titre facultatif.

Les études épidémiologiques sur la violence au sein des couples sont difficiles à réaliser pour deux raisons principales : d'abord, les différents pays ne se sont pas accordés sur une définition commune incluant ou non la violence psychologique ; ensuite, les réponses sont très difficiles à interpréter du fait de leur très grande subjectivité ; une victime peut être complètement anéantie, détruite psychologiquement par ce qu'elle vit, et ne pas être capable de le formuler. En France, jusqu'à l'enquête ENVEFF, réalisée en 2000 par Maryse Jaspard et son équipe, les statistiques ne s'intéressaient qu'à la violence physique. Certains intellectuels, comme Élisabeth Badinter, ont reproché à cette enquête de mettre sur le même plan violence physique et violence psychologique, et par là même d'amener les femmes à se poser abusivement en victimes. Certes, des imprécisions sont possibles puisqu'il s'agit là d'un ressenti subjectif, mais nous verrons que non seulement il est impossible de parler de violence au sein du couple sans tenir compte de sa part psychologique, mais que toute violence est avant tout psychologique. Le mérite de cette enquête a été de permettre une prise de conscience des femmes ; celles-ci ont pu reconsidérer des situations qu'elles n'auraient pas d'emblée jugées violentes. Contrairement à ce qui est dit fréquemment, la violence conjugale n'est possible que parce que la société l'accepte en silence.

La difficulté qu'il y a à analyser la violence dans le couple vient de la tentation de l'objectiver, c'est-à-dire de la rendre indépendante de la subjectivité des acteurs. Un premier obstacle vient du fait que ce qui est inacceptable en la matière varie d'une époque à l'autre, d'une société à l'autre et, bien évidemment, d'un couple à l'autre. Le seuil de tolérance de chacun est fonction de son histoire et de sa sensibilité, mais nous verrons que ce seuil peut être modifié par la nature de la violence subie et, en particulier, par la mise sous emprise.

Par ailleurs, certains actes ne sont pas condamnables sur le plan juridique, mais sont néanmoins destructeurs sur le plan psychologique, et une grande violence peut se dissimuler sous une apparence de bienveillance ou derrière des bonnes paroles : « Je dis cela parce que je t'aime. » À l'inverse, certains actes paraissent violents et ne sont que des réactions défensives. Aussi, de crainte de se tromper ou sous prétexte de stricte objectivité, les témoins ou les intervenants préfèrent laisser faire.

De plus, certains comportements sont prohibés et très clairement réprimés socialement, d'autres, au contraire, sont tolérés et le jugement moral à leur égard plus nuancé. On différencie ainsi une violence réactionnelle de celle qui est « actionnelle ». La première serait justifiée car elle répond à une agression (on vous insulte et vous réagissez en en venant aux mains), la seconde consisterait en une action délibérée servant à dominer et à faire souffrir l'autre. Or nous verrons, en étudiant les profils psychologiques des agresseurs, que la plupart d'entre eux, même en l'absence de faits objectifs les disculpant, sont persuadés qu'ils ne font que répondre à une agression et qu'il n'y a donc chez eux aucune intention consciente de faire du mal.

Une dernière difficulté, et pas des moindres quand on aborde ce sujet, vient de ce que le terme *violence* recouvre des réalités très différentes. Certaines théories tendent à assimiler violence et force. Dans ce cas, la première serait naturelle, biologique, propre à toutes les espèces animales. Notons que les animaux ne connaissent pas la violence, mais des mouvements de rivalité ou de prédation. Une autre confusion est souvent faite avec l'agressivité normale et ses manifestations visibles, la colère ou le conflit. Or, l'agressivité est une tendance naturelle et saine, même si elle peut entraîner frustration ou chagrin. Dans toute relation, et à plus forte raison dans une relation amoureuse, il y a de l'ambivalence et de l'agressivité qui se vivent à travers des conflits ou des affrontements. Il s'agit d'un phénomène positif, car, quand on n'est pas d'accord avec quelqu'un, argumenter, même de façon véhémente, est une façon de reconnaître l'autre, de tenir compte de sa réalité.

11

Dans la violence, au contraire, l'autre est empêché de s'exprimer, il n'y a pas de dialogue. Il est nié dans son intégrité.

Trop souvent on ne voit du phénomène que sa partie visible, à savoir l'agression physique. Même si elle a été la première à être repérée puis dénoncée, celle-ci ne constitue qu'un aspect du problème, la partie émergée de l'iceberg. Tout commence bien avant les bousculades et les coups, et, comme on va le voir, il y a, au départ, des comportements abusifs, des intimidations, des microviolences qui préparent le terrain. En parlant de « femmes battues », on occulte l'essentiel de la problématique. Dans la réalité, il est impossible de faire une distinction entre violence psychologique et violence physique car, quand un homme tape sa femme, son intention n'est pas de lui mettre un œil au beurre noir, mais de lui montrer que c'est lui qui commande et qu'elle n'a qu'à bien se tenir. L'enjeu de la violence est toujours la domination.

Dans la maltraitance conjugale, les attaques psychologiques sont les plus dangereuses ; elles font tout aussi mal que les agressions physiques et ont des conséquences plus graves, toutes les victimes le disent. Il y a d'ailleurs des formes de violence où le partenaire, sans porter le moindre coup, réussit à détruire l'autre. Nous allons donc nous efforcer d'analyser ces processus car, si on veut diminuer les chiffres effarants de la violence conjugale, il faut intervenir dès ses premiers signes, c'est-à-dire bien avant l'apparition de l'agression physique.

Parce que nous utilisons habituellement le même mot pour en parler, il est très difficile de distinguer la violence véritable, qui est parfois appelée *abus* et qui se pratique le plus souvent à bas bruit, des formes d'agressivité qui apparaissent dans un conflit de couple. Dans ce qui n'est qu'un conflit, même s'il peut y avoir des éclats de voix, de la vaisselle cassée, et même des bousculades, il existe quand même une relation égalitaire, une symétrie entre les deux partenaires. Ce qui permet de distinguer la violence conjugale d'un simple conflit de couple, ce ne sont pas les coups ou les paroles blessantes, mais l'asymétrie dans la relation. Dans un conflit de couple, l'identité de chacun est préservée, l'autre est respecté en tant que personne, ce qui n'est pas le cas lorsque l'enjeu est de dominer et d'écraser l'autre.

Pour faciliter la compréhension, j'utiliserai autant que possible le terme *violence* pour décrire le phénomène de fond, et *agression* lorsqu'il s'agit d'un fait ponctuel.

Face aux récits parfois terrifiants des violences subies par certaines femmes, beaucoup s'étonnent de les voir rester et en concluent hâtivement qu'elles consentent à ce traitement. Même si, dans d'autres contextes, on connaît bien le processus d'emprise et de conditionnement, quand il s'agit des femmes en couple, certains psychanalystes continuent à dire qu'elles ressentent une satisfaction d'ordre masochiste à être objet de sévices. Il faut que ce discours aliénant cesse, car, sans une préparation psychologique destinée à la soumettre, aucune femme n'accepterait les abus psychologiques et encore moins la violence physique. En réalité, il n'est nul besoin d'user de sa force pour assujettir autrui ; des moyens subtils, répétitifs, voilés, ambigus, peuvent être employés avec tout autant d'efficacité. Ces actes ou ces mots sont souvent plus pernicieux qu'une agression directe qui serait reconnue comme telle et entraînerait une réaction de défense.

Nous allons essayer de comprendre ces processus de conditionnement et nous verrons qu'ils s'apparentent aux lavages de cerveau réalisés sur les prisonniers politiques ou dans les sectes. Nous étudierons les processus d'emprise qui paralysent les femmes, les empêchent de quitter un conjoint violent, les amènent à tolérer l'intolérable. En analysant les constantes des différentes formes de violence conjugale, nous verrons comment les femmes se font piéger.

Plutôt que de parler de femmes battues ou de violence de genre, comme cela se fait en Espagne, je préfère, quant à moi, m'en tenir au terme de violence de couple car, nous le verrons, cette violence s'applique aussi bien dans les couples homosexuels. Il s'agit avant tout d'une maltraitance qui se produit dans l'intimité d'une relation de couple, quand l'un des partenaires, quel que soit son sexe, essaie d'imposer son pouvoir par la force. C'est la proximité affective qui crée la gravité de cette violence ; là où circulent les affects les plus forts peuvent émerger les souffrances les plus intenses. C'est une domination du plus fort sur le plus faible, et, bien évidemment, la femme est culturellement la plus faible. La violence peut être exercée par un homme à l'égard d'une femme, par une femme à l'égard d'un homme ou par n'importe quelle personne à l'égard de son partenaire dans un couple homosexuel ; néanmoins, pour des raisons qui tiennent à la structure même de la société, celle qui est exercée envers les femmes est de loin la plus répandue. Dans 98 % des cas recensés, l'auteur est un homme. C'est pourquoi nous parlerons essentiellement de ce qui est le plus fréquent, à savoir la violence d'un homme à l'égard d'une femme, tout en sachant que des situations inverses peuvent exister.

Pour expliquer que les hommes sont incontestablement plus violents que les femmes, les féministes se sont attachées à analyser le contexte social permettant cette occurrence. Selon elles, la société prépare les hommes à occuper un rôle dominant et, s'ils n'y parviennent pas naturellement, ils tendent à le faire par la force. La violence serait pour eux un moyen parmi d'autres de contrôler la femme. Cela est partiellement vrai, mais n'est pas suffisant pour expliquer la violence dans le couple. On ne peut la réduire à un phénomène culturel et social ; elle comporte aussi des éléments psychologiques. D'autres modèles explicatifs, contestés par les féministes, se sont intéressés à la personnalité des hommes violents. Ces différentes approches ne sont pas antagonistes. À l'origine de la violence domestique, on trouve à la fois des facteurs sociaux *et* une vulnérabilité psychologique. Cependant, la vulnérabilité psychologique, sans la facilitation apportée par le contexte social, ne suffit pas à rendre un homme violent, le profil psychologique d'un individu étant influencé par son éducation et son environnement social.

Le discours actuel dénonçant la violence faite aux femmes peut être dangereux s'il n'est pas nuancé, car il tend à opposer hommes et femmes. Il ne sert à rien de creuser encore plus le fossé entre les sexes et de considérer toute la population masculine comme potentiellement violente. S'il faut tenir compte de la violence psychologique, il ne s'agit pas non plus d'en faire un problème juridique. Il serait plus utile de lutter contre les mentalités sexistes des hommes, d'éduquer les garçons à respecter les filles et de libérer les deux sexes des stéréotypes qui leur sont attribués.

Il est essentiel que les femmes apprennent à repérer les premiers signes de violence et à les dénoncer, non pas pour nécessairement porter plainte en justice, mais pour trouver en elles la force de sortir d'une situation abusive. Comprendre pourquoi on tolère un comportement intolérable, c'est aussi comprendre comment on peut en sortir. C'est par une compréhension fine des ressorts de la violence qu'elles subissent que les femmes se dégageront de l'emprise qui les paralyse et que notre société pourra mettre en place une prévention.

SOUS LES COUPS,
QUELLE(S) BLESSURE(S) ?

L'HISTOIRE DE DIANE ET STÉPHANE

À travers leur vie commune, Diane et Stéphane nous font découvrir les différentes facettes de la violence dans le couple.

> Diane vit avec Stéphane depuis douze ans, mais ils ne sont pas mariés. Ils ont deux enfants, de huit et trois ans. Ils sont ostéopathes tous les deux et travaillent dans le même cabinet. Stéphane, qui n'est pas en règle avec ses cotisations, ne peut pas travailler à son compte, il est donc le collaborateur de Diane. Il dit manquer d'argent parce que sa compagne ne lui confie pas assez de clients.

La violence de Stéphane

Diane dit que, depuis le début de leur relation, elle a connu des actes de violence physique modérés qu'elle commente en ces termes : « Ce n'était pas grave, ce n'étaient que des bleus. » Elle n'a vraiment pris conscience de la violence de Stéphane qu'après la naissance de leur fils aîné. Peu après l'accouchement par césarienne, il lui avait tordu le bras et l'avait jetée à terre parce qu'elle avait refusé de lui repasser une chemise. La violence a encore augmenté après la naissance de leur second fils.

D'une façon générale, quoi qu'elle dise ou qu'elle fasse, elle reçoit des reproches ou des insultes. Stéphane met très fréquemment en doute sa santé mentale : « Tout le monde te prend pour une folle ! » Il critique régulièrement sa famille et menace souvent de partir à l'étranger avec les enfants. Un jour où elle avait osé lui tenir tête, elle a retrouvé des poubelles éventrées dans l'appartement et des serpillières sur son oreiller.

Quand ils ont des réunions de travail avec des collègues, il parle plus qu'elle, la critique devant les autres, mais se réapproprie ses idées.

Alors qu'habituellement les coups étaient réservés au huis clos de la maison, Stéphane a un jour frappé Diane dans la rue, simplement parce qu'elle n'était pas d'accord avec lui.

Selon Diane, ce ne sont pas les moments de crise qui sont les plus durs, car ils sont faciles à repérer, c'est le harcèlement quotidien, qui l'épuise et la fait douter d'elle.

Elle a tout essayé pour calmer Stéphane, la gentillesse et la fermeté, mais, quand elle s'énerve et réagit par de l'agressivité, il est encore plus violent. Habituellement elle a du mal à se mettre en colère, mais il lui semble que cela vaut mieux : « Si je m'étais mise en colère, je ne serais plus là, il m'aurait étranglée ! »

Un jour, Stéphane a frappé Diane au visage avec un cendrier et elle a dû aller à l'hôpital. Le lendemain, elle a porté plainte à la police, mais s'est bien gardée de dire la vérité à son travail, attribuant son œil au beurre noir à un accident de circulation. Le fait qu'elle porte plainte a stoppé, pour un temps, les agressions physiques de Stéphane, mais a entraîné une recrudescence de violence verbale et psychologique : « Tu es nulle, autiste, dégénérée ! » et les menaces : « Je vais te jeter par la fenêtre, te pousser sous un camion… Tu es tellement folle que tu vas finir par te suicider ! » Il lui a aussi dit que son avocat lui avait expliqué comment frapper sans laisser de traces.

À une autre occasion, il a cassé le portable de Diane et confisqué le téléphone fixe de l'appartement, puis il a enfermé femme et enfants dans l'appartement pendant vingt-quatre heures.

Diane sait peu de chose de l'histoire de Stéphane. Il lui avait raconté que ses parents étaient divorcés, mais elle a appris plus tard que ce n'était pas vrai. Il déteste son père qui a toujours été très autoritaire et méprisant avec lui. Il a dit, un jour, à Diane qu'il a été abusé par lui vers l'âge de quatorze ans, mais plus tard, quand elle a voulu en reparler, il lui a dit que c'était faux, que c'était elle qui avait inventé tout cela.

La vulnérabilité de Diane

Diane dit souvent qu'elle a peur de ne pas s'en sortir (de la situation de violence ou de la vie ? elle ne précise pas) car elle ne se sent pas très solide. Ses parents ne s'entendaient pas. Sa mère a humilié son mari pendant toute l'enfance de Diane. C'est une femme très caractérielle et souvent violente verbalement. Elle sait manipuler et culpabiliser les autres. Presque toutes les semaines, elle annonçait son divorce, puis, deux jours plus tard, disait à ses enfants qu'elle restait, malgré tout, à cause d'eux. Elle a, une autre fois, expliqué à sa fille que son père était impuissant et qu'elle allait prendre un amant.

• Elle se dévalorise

Diane doute en permanence de sa valeur : « Je ne suis pas à la hauteur, je ne suis pas douée. Tout cela est sans doute ma faute. C'est parce que sexuellement je ne suis pas à la hauteur. »

« Stéphane me dit qu'il est meilleur père que je ne suis mère, et c'est probablement vrai. Il dit que je suis nulle et il a sans doute raison. Je ne fais jamais ce qu'il faut. Je me mets souvent en position d'échec, par exemple, en manquant parfois des rendez-vous importants. »

• Elle se rend responsable de la situation du couple

Diane se demande ce qui, dans son comportement à elle, a amené Stéphane à déraper : « Peut-être que je ne lui ai pas donné assez d'amour, que je n'ai pas été assez femme. » Elle pense qu'avec la famille qu'elle a elle est forcément responsable de l'échec de son couple : « Je ne crains pas qu'il me tue, je crains de devenir folle ! »

Elle se reproche d'être envieuse : « Il me dit en permanence que je suis nulle et qu'il est mieux que moi, alors, forcément, j'envie ce qu'il est. Je sens bien que nous sommes en rivalité sur le plan professionnel et ce n'est pas bon pour lui. Il dit à nos collègues que je l'empêche de travailler. »

• Elle protège Stéphane et la famille

Diane cherche des excuses à Stéphane : « S'il est comme ça, c'est parce qu'il a des difficultés professionnelles. »

Elle a pitié de lui : « Si je me sépare et que je change le verrou, comment faire pour ne pas l'entendre ? Je ne peux pas supporter qu'il soit malheureux, je ne peux pas supporter d'être un tant soit peu responsable de cette situation. »

Diane sait que Stéphane a imité sa signature pour contracter un emprunt, mais elle n'ose rien dire : « Il est déjà dans une situation d'échec sur le plan professionnel. Si on se sépare, ce sera difficile pour lui car, tant qu'il n'a pas payé ses cotisations, il ne peut pas travailler seul. »

« Je ne veux pas casser la famille comme mes parents l'ont fait. »

• Elle a peur de l'avenir

« Même si je suis reconnue professionnellement, j'ai beaucoup de mal à me donner les moyens de gagner correctement ma vie. Il n'y a pas d'issue, je ne suis pas douée pour la vie et encore moins pour la vie de couple. Si je quitte Stéphane, peut-être que ma vie amoureuse est finie. »

La vie du couple

Leur sexualité

Stéphane reproche à Diane de ne pas être disponible sexuellement. Il a suggéré qu'ils aient l'un et l'autre des relations extraconjugales, mais elle a refusé et il la considère comme « coincée ». Elle pense qu'il a peut-être raison, qu'elle est trop bloquée sur certaines choses, mais, en même temps, elle éprouve une gêne car l'acte sexuel avec Stéphane ressemble à une masturbation réciproque, sans aucun échange affectif. Elle supporte mal également que celui-ci la néglige pour passer des heures à regarder des films pornos.

Leurs enfants

L'aîné est très agité, provocateur, et embête tout le temps son petit frère. Diane s'en sent responsable, d'autant qu'une institutrice lui a fait remarquer qu'elle était très nerveuse. Avant qu'elle commence une psychothérapie, elle était parfois si déprimée qu'elle ne parlait pas lorsqu'elle faisait manger ses enfants. Le grand demandait alors : « Maman, tu es fâchée ? » Il arrive à Stéphane de déplacer sa violence sur les enfants quand il est énervé, c'est ainsi qu'il a donné un fort coup de pied à l'un de ses fils, simplement parce que Diane avait refusé de se déplacer pour lui attraper son écharpe.

À la suite d'une consultation chez un pédopsychiatre pour son fils aîné, Diane s'était demandé si celui-ci, tout comme son père, ne considérait pas la violence comme normale.

La violence de Stéphane sanctionnée par la justice

C'est la deuxième fois que Diane porte plainte. La première fois, lorsqu'il l'avait frappée avec un cendrier, l'avocat de Stéphane avait justifié la violence de son client par le comportement irresponsable de Diane qui s'occupait mal des enfants. Diane s'était montrée alors tellement ambivalente que le juge, ne tenant pas compte des mains courantes antérieures, avait seulement fait la morale à Stéphane, lui disant que ce n'était pas bien et qu'il ne fallait pas recommencer. Stéphane n'avait été condamné qu'à une peine symbolique avec sursis. Bien entendu, cela n'avait rien changé à son comportement. Malgré tout, cela n'avait pas été complètement négatif puisque la police avait donné à Diane des adresses d'associations et que cela l'avait décidée à entreprendre une psychothérapie.

Cette fois-ci, Diane a tenté de déposer une plainte à la police sans le dire à Stéphane, puis elle a paniqué et a voulu se rétracter, mais le procureur a maintenu la plainte. Diane a été étonnée que les faits qu'elle essayait de banaliser aient été pris au sérieux. L'enfermer avec les enfants à la maison pendant vingt-quatre heures, après avoir cassé son téléphone, a été qualifié de « séquestration ». Lui faire peur avec un couteau a été considéré comme des « menaces avec arme blanche ». Stéphane a donc été placé en garde à vue, ce qui a beaucoup culpabilisé Diane. Stéphane en a d'ailleurs profité pour raconter à son entourage que sa femme l'avait fait mettre en prison pour une simple dispute. Pour se consoler, à sa sortie, il est allé s'acheter un ordinateur portable avec l'argent du compte commun, car il se sentait très déprimé.

Devant le juge, Diane a tellement pris la défense de Stéphane qu'elle lui a évité la prison avec sursis. Elle a banalisé les faits, lui a trouvé des excuses et a dit qu'il allait se faire soigner. Stéphane est sous contrôle judiciaire pour un an, ce qui signifie que sa condamnation est ajournée mais qu'au moindre dérapage elle sera effective. Diane se sent coupable : « Que vont dire nos amis ? Que vont penser les enfants ? Que je suis une femme sans cœur ? »

L'évolution de la relation

Depuis qu'il est contrôlé par la justice, Stéphane n'ose plus être violent physiquement, mais il manifeste sa violence autrement, en cassant des assiettes, en donnant des coups de poing dans le mur. Il essaie encore plus de culpabiliser Diane et le justifie par des propos qu'aurait tenus sa psychothérapeute : « Ma psy m'a dit que, si je suis comme ça, c'est à cause de toi, c'est parce que tu m'as éloigné de ma famille. Elle m'a dit de ne pas me laisser faire par toi. » Cela déstabilise beaucoup Diane qui se dit que, peut-être, la psy de Stéphane a raison en la qualifiant de monstre qui induit le comportement violent de l'autre.

Au fur et à mesure de sa propre psychothérapie, Diane apprend à s'affirmer et à ne pas prendre au pied de la lettre tout ce que dit Stéphane. Physiquement, elle a changé. Elle se maquille, s'habille avec plus de recherche. Son discours est plus affirmé. Professionnellement, alors que, jusqu'à présent, elle n'osait pas se mettre en avant, elle a osé proposer un nouveau projet à ses collègues.

Elle dit se sentir mieux. Elle commence à retrouver des sensations simples de la vie courante, comme passer de bons moments avec les enfants.

Pour essayer de mieux comprendre Stéphane, elle a téléphoné à sa première femme, celle qu'il qualifiait de « folle ». Elles se sont rencontrées et Diane a appris que cette femme avait connu les mêmes problèmes dans son couple ; elle avait été battue, trompée, insultée pendant des années, jusqu'à ce qu'elle se décide à partir.

Aujourd'hui, Diane pense qu'elle n'est presque plus sous l'emprise de Stéphane, mais, pourtant, elle ne se sent pas encore capable de le quitter. Désormais, elle se dit qu'elle ne peut rester que si l'agressivité de Stéphane disparaît et qu'il assume les responsabilités de ses actes.

Comme on peut le voir à travers ce cas clinique, il apparaît que ce ne sont pas les agressions physiques, ce que Diane appelle les « crises » de son compagnon, qui lui ont fait le plus mal. Elle a appris à les prévenir. La vraie violence est dans la dévalorisation systématique de Diane par Stéphane. L'élément majeur qui permet de comprendre cette relation de couple est la position protectrice de Diane. Elle a pitié de Stéphane, cherche à le « réparer » ou tout du moins à ne pas lui faire mal. C'est ce qui la conduit à se culpabiliser chaque fois qu'elle pourrait se protéger.

Si Diane se défend aussi mal, c'est parce que la violence de Stéphane est imprévisible, mais c'est aussi parce que le terrain a été préparé chez elle par le comportement manipulateur de sa mère. Diane ne savait pas où mettre les limites, Stéphane l'a perçu et s'est engouffré dans cette brèche.

LA VIOLENCE PSYCHOLOGIQUE

Comme nous avons pu le voir à travers l'histoire de Diane et de Stéphane, ce qui constitue la violence dans le couple, c'est un mode de relation fondé sur le contrôle et la violence psychologique. Sur cette base apparaissent différents modes d'agressions qui seront fonction du contexte ou du profil psychologique de l'agresseur. Néanmoins, la plupart du temps, toutes ces formes d'agressions et de violence coexistent ou se présentent simultanément.

Violence physique et violence psychologique sont liées : aucun homme ne va se mettre à battre sa femme du jour au lendemain sans raison apparente dans une crise de folie momentanée. La majorité des conjoints violents préparent d'abord le terrain en terrorisant leur compagne. Il n'existe pas de violence physique sans qu'il y ait eu auparavant de violence psychologique. Cependant, la violence psychologique seule, comme c'est le cas dans la violence perverse, peut faire de gros dégâts. Beaucoup de victimes disent que c'est la forme d'abus la plus difficile à vivre dans le cadre de la vie de couple.

> Quand il m'injurie, c'est comme s'il me
> rouait de coups. Ça me laisse sonnée, malade
> physiquement, K.-O.

On parle de violence psychologique lorsqu'une personne adopte une série d'attitudes et de propos qui visent à dénigrer et à nier la façon d'être d'une autre personne. Ces paroles ou ces gestes ont pour but de déstabiliser ou de blesser l'autre. Dans des moments de colère, nous pouvons tous tenir des propos blessants, méprisants, ou avoir des gestes déplacés, mais habituellement ces dérapages sont suivis de regrets ou d'excuses. Par contre, dans la violence psychologique, il ne s'agit pas d'un dérapage ponctuel mais d'une façon d'être en relation. C'est nier l'autre et le considérer comme un objet. Ces procédés sont destinés à soumettre l'autre, à le contrôler et à garder le pouvoir.

Il s'agit d'une maltraitance très subtile ; très souvent, les victimes disent que la terreur commence par un regard méprisant, une parole humiliante, une tonalité menaçante. Il s'agit, sans qu'un coup ait été porté, de mettre mal à l'aise le/la partenaire, de créer une tension, de l'effrayer, afin de bien montrer son pouvoir. Il y a incontestablement une jouissance à dominer l'autre d'un seul regard ou d'un changement de ton.

La difficulté à repérer les violences psychologiques vient de ce que la limite en est imprécise. C'est une notion subjective : un même acte peut prendre des significations différentes suivant le contexte dans lequel il s'insère et un même comportement sera perçu comme abusif par les uns et pas par les autres. Parmi les spécialistes, nous ne disposons pas d'une définition consensuelle de la violence psychologique, car cette forme de violence n'a été reconnue que récemment. De la même façon, s'il est possible d'évaluer les aspects physiques de la violence, il est beaucoup plus difficile de mesurer ce que ressent une victime de violence psychologique.

> J'ai longtemps cru que la violence conjugale ne me concernait pas, parce que mon mari ne me battait pas, mais, en fait, j'étais si soumise qu'il n'avait pas besoin de me frapper pour que je fasse ses quatre volontés. La violence physique n'est apparue que quand j'ai commencé à résister.

Même si les femmes sont les principales victimes de la violence dans le couple, réduire la violence conjugale à la violence physique, ne parler que des coups, risque de laisser de côté la violence des femmes à l'égard des hommes. En effet, la violence n'est pas l'apanage des hommes ; les femmes savent très bien y recourir. Quand elles le font, elles ont plus volontiers recours à la violence psychologique ou à la manipulation perverse. Nous verrons que leur violence, tout comme celle des hommes, est un outil de domination.

Il semblerait néanmoins que, face à une situation de violence psychologique, hommes et femmes ne donnent pas les mêmes explications. Les hommes tendent à justifier leurs dérapages en donnant des explications externes (le stress, la jalousie), alors que les femmes, devant les mêmes agissements, donneront plutôt une explication interne (il ne sait pas exprimer ses sentiments, il ne croit pas qu'on puisse l'aimer[1]).

Dans la violence psychologique, il existe un lien direct entre le comportement de celui/celle qui agresse par des injures ou des attitudes hostiles et l'impact émotionnel négatif que ce comportement a sur la victime. C'est ainsi que, alors que les premières études sur la violence conjugale distinguaient la violence verbale de la violence psychologique, il m'apparaît que les deux sont indissociables. Il y a les mots (menaces, cris, insultes) qui servent à mettre sous tension et dans l'insécurité, et la façon de les dire (tonalité, débit) qui est un procédé destiné à mettre l'autre sous emprise.

Les injures des hommes à l'égard des femmes sont très stéréotypées, le plus souvent de nature sexuelle. Elles sont rarement proférées en public. La plupart des attaques verbales se font en privé car les agresseurs tentent de préserver une bonne image d'eux-mêmes. Quand ces attaques se font en public, c'est sous une forme ironique, de façon à s'adjoindre l'approbation des témoins. Si la femme proteste, on lui répliquera qu'elle n'a pas le sens de l'humour, qu'elle est trop susceptible, qu'elle prend tout de travers, et elle en arrivera à douter de la réalité de l'agression :

– Ne le prends pas comme ça, si je dis ça, c'est pour ton bien.

1. Francine Ouellet, Jocelyn Lindsay et al., *La Violence psychologique entre conjoints. Ses représentations selon le genre*, CRI-VIFF n°3, Québec, 1996.

– Il est inutile de parler avec toi, de toute façon, tu ne comprendras pas.

– Si tu ne comprends pas ce que je te reproche, fais ton examen de conscience !

Les premières attaques verbales sont subtiles et difficiles à repérer. Elles augmentent graduellement jusqu'à ce que la femme les considère comme normales. Comment peut-on dire qu'injurier régulièrement sa femme, ce n'est pas de la violence ? Comment penser que les blagues humiliantes, les sarcasmes, le dénigrement systématique pourraient être anodins ? Au niveau de la voix, pour effrayer leur compagne, certains hommes vont élever le ton et crier, d'autres, au contraire, vont prendre une voix suave, menaçante. De l'extérieur, ces changements de ton peuvent paraître sans conséquence, mais, pour la femme, ils font écho à des menaces ou des coups antérieurs. Freud avait observé que la civilisation avait fait un pas décisif le jour où un homme substitua l'injure à la lance. Mais est-ce si sûr ? Certains mots tuent tout aussi sûrement que des coups.

La violence psychologique s'articule autour de plusieurs axes de comportements ou d'attitudes qui constituent des microviolences difficiles à repérer.

Le contrôle

Le contrôle se situe d'abord dans le registre de la possession, c'est surveiller quelqu'un de façon malveillante avec l'idée de le dominer et de le commander. On veut tout contrôler pour imposer la façon dont les choses doivent être faites.

René disait à sa femme, qui tentait de lui expliquer qu'elle n'était pas d'accord avec lui : « Tais-toi, je sais mieux que toi ce que tu penses. »

Ce peut être le contrôle des heures de sommeil, des heures des repas, des dépenses, des relations sociales et même des pensées (je veux savoir à quoi tu penses !).

Claude, qui avait des troubles du sommeil, réveillait régulièrement sa femme pour lui demander si elle dormait. Il ne supportait pas qu'elle lui échappe dans le sommeil.

Ce peut être empêcher la femme de progresser professionnellement ou de faire des études.

Quand je me suis réinscrite à la fac, alors que j'avais tout organisé avec la nourrice, mon mari s'est arrangé au dernier moment pour changer ses horaires de travail et je n'ai pas pu aller aux cours les plus importants.

L'isolement

Pour que la violence puisse se perpétuer, il faut isoler progressivement la femme de sa famille, de ses amis, l'empêcher de travailler, d'avoir une vie sociale. En isolant sa femme, l'homme fait en sorte que sa vie soit uniquement tournée vers lui. Il a besoin qu'elle s'occupe de lui, qu'elle ne pense qu'à lui. Il fait en sorte qu'elle ne soit pas trop indépendante pour ne pas qu'elle échappe à son contrôle. Les femmes disent souvent se sentir prisonnières.

> Dès le début de leur relation, Jacques a voulu éloigner Catherine de sa famille, lui expliquant qu'il ne voulait pas recevoir ces gens-là parce qu'ils n'étaient pas à la hauteur : « Si on ne t'apprécie pas, c'est à cause de tes origines. Tes parents sont nuls et n'ont aucune culture ! »
> À partir de là, il a voulu lui imposer sa famille et son environnement social à lui.

Après un temps, il peut se faire que ce soit la femme elle-même qui s'isole, pour avoir la paix, ne supportant plus la pression que lui fait subir son mari à l'idée d'une éventuelle rencontre. Cela conduit à un isolement social et même parfois à une désinsertion. Les personnes de l'entourage sont véritablement manipulées, afin de les amener à accepter la disqualification de la/du partenaire. Ceux qui ne suivent pas et se montrent critiques vont être progressivement éloignés. L'isolement progressif aboutit à un contrôle total de la personne, comme dans les sectes.

> Son mari ne laissait Sonia ni conduire ni sortir seule. Elle n'avait ni carte bleue ni chéquier. Elle n'avait pas non plus la clé de la boîte aux lettres car il tenait à ouvrir tout le courrier.

L'isolement, c'est aussi supprimer le téléphone portable ou l'ordinateur, comme on le ferait pour un enfant, afin que la femme ne puisse plus téléphoner à sa famille.

On peut également, par des insinuations ou des mensonges, monter la femme contre ses proches :

> – Nos amis s'inquiètent pour toi. Ils trouvent que tu as un comportement bizarre !
> – Ton frère répète partout que tu te comportes comme une salope.

L'isolement est à la fois une cause et une conséquence de la maltraitance.

La jalousie pathologique

Le contrôle peut se traduire par un comportement jaloux : suspicion constante, attribution d'intention non fondée, etc.

> Il surveille mes coups de téléphone, mon emploi du temps, mes relations avec ma famille et mes amis, car il veut s'assurer que je n'ai pas un amant.

Ce que ce conjoint ne supporte pas, c'est l'altérité de la femme. Il veut la posséder totalement et exige d'elle une présence continue et exclusive. Cette jalousie pathologique n'est fondée sur aucun élément de réalité, comme dans le cas d'une infidélité du partenaire, elle provient d'une tension interne qu'il tente d'apaiser de la sorte. Or, même si sa femme se soumet, ne sort pas seule, il y aura toujours une insatisfaction car elle reste « autre » et, pour lui, c'est insupportable. À partir de là, les reproches tomberont, il y aura recherche de preuves, extorsion d'aveux, menaces, puis, éventuellement, de la violence physique.

Le basculement dans la jalousie intervient à partir d'un sentiment de dévalorisation, l'homme, plutôt que de se remettre en question, explique sa frustration par l'infidélité de sa partenaire[1].

La jalousie peut porter sur le passé de la femme, et, dans ce cas, l'homme ressasse des événements sur lesquels il n'a aucun contrôle, puisqu'ils sont passés. D'une façon générale, aucune explication rationnelle ne vient apaiser une jalousie pathologique car il s'agit ni plus ni moins que d'un refus de la réalité.

> Maryse vit avec Paul depuis dix ans. Le début de leur relation fut difficile et, après quelques mois, chacun est reparti vivre de son côté. Elle a entamé alors une liaison de quelques mois avec un autre homme, et lui, pendant ce temps, a multiplié les aventures. Quand ils s'établissent à nouveau sous le même toit, Paul questionne sans arrêt Maryse sur ses relations sexuelles avec son précédent compagnon. Chaque fois, elle fait tout pour changer de conversation, pour éviter de répondre, alors, il la surveille, vérifie ses coups de téléphone, lit son courrier, la questionne sur son emploi du temps : « Tu m'as trompé une fois, qu'est-ce qui me dit que tu ne recommenceras pas ? » Maryse a beau lui expliquer que c'était avant lui et que, pendant ce temps-là, il connaissait lui-même

1. D. Lagache, *La Jalousie amoureuse*, Paris, PUF, 1981.

d'autres femmes, cela ne le calme pas. Il s'énerve, la traite de pute qui couche avec tout le monde et exige des rapports sexuels très intenses, pour qu'il puisse se convaincre qu'elle ne désire que lui.

Le harcèlement

En répétant à satiété un message à quelqu'un, on parvient à saturer ses capacités critiques et son jugement et à lui faire accepter n'importe quoi. Ce sont, par exemple, des discussions sans fin pour extorquer des aveux, jusqu'à ce que la personne, épuisée, finisse par céder.

Il peut passer des nuits entières à m'interroger afin d'être sûr que je ne l'ai pas trompé. Pour avoir la paix, je finis par dire ce qu'il veut que je dise.

L'autre stratégie consiste à surveiller la personne, la suivre dans la rue, la harceler au téléphone, l'attendre à la sortie de son travail. Cette forme de violence se produit le plus souvent après une séparation.

Depuis que je l'ai quitté, il me téléphone plusieurs fois par jour, alternant les déclarations d'amour et les menaces. Il fait le siège de mon appartement et écrit des injures sur ma porte.

Le dénigrement

Il s'agit avant tout d'atteindre l'estime de soi de la personne, lui montrer qu'elle ne vaut rien, qu'elle n'a aucune valeur. La violence s'exprime sous forme d'attitudes dédaigneuses et de paroles blessantes, de propos méprisants, de remarques déplaisantes.

Ce peut être la dénigrer sur ce qu'elle fait, sur ce qu'elle est ; émettre des doutes sur sa santé mentale, c'est aussi l'accuser d'être dépressive, anticipant ainsi sur ce qu'on veut induire chez elle.

> Tout le monde sait que tu es folle et je ferais mieux de te faire interner !

Ou bien dénigrer ses capacités intellectuelles.

> Quand je donnais mon point de vue sur quelque chose, il me disait :
> « Qu'est-ce que tu connais, toi, à ça ? »

Dénier ses idées ou ses émotions. L'accuser d'avoir des comportements inappropriés. Lui faire des reproches sur la façon dont la maison est tenue, sur les enfants, sur ses vêtements, sur ses dépenses.

> Tu t'occupes tellement mal des enfants que je vais te dénoncer pour qu'on te les enlève.

Critiquer son physique.

> Mon mari se moquait tous les jours de mon gros nez et de ma poitrine plate, et, si je m'en plaignais, il le justifiait en disant que

ce n'était pas une critique puisque c'était une réalité.

C'est aussi attaquer sa famille, ses amis, ses valeurs par des critiques systématiques. C'est également s'en prendre aux enfants, car, pour beaucoup de femmes, les gestes d'agression du conjoint à l'égard des enfants sont vécus comme une violence psychologique faite à elles-mêmes.

> Quand je réagissais, il cessait de m'attaquer, mais il s'en prenait à notre fils : « Regarde ton lardon, il est comme sa mère, geignard, pleurnichard. Encore un qui ne donnera rien de bon ! »

Les attaques peuvent porter sur le « féminin » de la partenaire, sa capacité à être une bonne maîtresse de maison ou à être une femme séduisante :

> – Si je me montrais un peu tendre avec lui, mon mari me repoussait en me disant qu'on ne pouvait pas désirer quelqu'un d'aussi moche que moi.
> – Quand j'ai enfin quitté mon mari, il m'a dit que j'étais tellement nulle qu'aucun autre homme ne voudrait de moi. Des années après, même si je sais que je suis une femme séduisante, je ne me sens toujours pas capable de plaire à un homme.

Attaquer une femme sur sa capacité à bien élever ses enfants est très efficace car on peut lui faire croire que, si les enfants sont difficiles ou travaillent mal en classe, c'est de son fait.

– Dès que j'exprimais un désir d'enfant, mon mari me disait que, fragile comme j'étais, cela l'étonnerait que je puisse faire des enfants. Il ajoutait que, de toute façon, je ne serais pas capable de les élever.

– Quand ma fille rapportait de mauvaises notes de l'école, ce n'est pas elle mais moi qui prenais un savon parce que je n'étais pas « foutue de surveiller des devoirs du niveau du collège » !

La disqualification peut se faire à travers des mots qui paraissent sincères et corrects. Il s'agit de manipuler la femme sans qu'elle en prenne conscience, d'attaquer son estime de soi, de l'amener à perdre confiance en elle.

D'après une étude québécoise, même si les femmes sont tout aussi capables de dénigrer leur conjoint, les attaques sont différentes suivant les sexes. Les hommes attaquent plus leur femme dans leur rôle de mère, dans leurs capacités ménagères ou dans leurs qualités d'amante, ce qui correspond au stéréotype social de la femme. Les attaques des femmes touchent, en bonne logique, aux stéréotypes masculins (rôle social de l'homme).

C'est ainsi que, revenant d'un week-end épuisant chez des amis, Judith a fait des reproches à son mari :
« Pendant le week-end, tu n'as ouvert la bouche que pour manger. Tu n'as pas participé à la conversation, tu n'as pas aidé, tu as passé ton temps à jouer à des jeux débiles sur ton téléphone portable ! »

Les humiliations

Humilier, rabaisser, ridiculiser est le propre de la violence psychologique. L'autre n'étant qu'un exutoire à la rage que l'on porte en soi, il n'a pas d'existence propre : on ne le respecte pas.

> Maxime avait l'habitude de donner à sa femme l'argent du mois en le jetant par terre. Celle-ci n'avait qu'à se mettre à quatre pattes pour ramasser, sans rien dire…

Cracher à la figure, faire un bruit de pet quand la personne parle ou, si le message n'est pas assez clair, user de moyens plus radicaux…

> – Mon compagnon, quand je me maquillais dans la salle de bains, venait uriner dans le lavabo à côté de moi. Je protestais, lui disais qu'il y avait des toilettes pour ça, et il me répondait que j'étais bien chichiteuse, que tous les hommes faisaient ça. Plus qu'une intention de m'embêter, je sentais qu'il y avait chez lui une volonté de m'humilier, mais je ne savais rien faire d'autre que protester. Alors, il me traitait de râleuse.
> – Alors que je lui reprochais ses infidélités, mon mari m'a traînée dans les toilettes, jetée à terre : « Je vais te montrer ce que tu es pour moi ! » Et il m'a uriné dessus.

Souvent, ces humiliations sont à teneur sexuelle. Nous en reparlerons un peu plus loin. Elles font naître un sentiment de honte, ce qui sera un obstacle supplémentaire pour en parler et se faire aider. Les violences psychologiques, le dénigrement systématique, les insultes provoquent une rupture identitaire, un effondrement intérieur. Ces attaques visent en effet l'estime de soi de la personne qui finira par intégrer la dépréciation et ne se sentira plus digne d'être aimé(e).

De plus, comment trouver les mots pour décrire les humiliations ? Comment raconter des choses si intimes, en particulier la violence sexuelle ?

> À l'époque, je ne voulais pas en parler, parce que j'avais honte d'accepter d'être traitée de cette façon. Même si ce fut contre ma volonté, j'ai longtemps cru que c'était ma faute. Maintenant, je préférerais oublier cette époque, mais la honte me revient dès que j'y repense.

Les actes d'intimidation

Claquer les portes, briser des objets pour manifester sa mauvaise humeur constituent des actes d'intimidation. Quand une personne se défoule sur des objets, le/la partenaire peut l'interpréter comme une forme de violence maîtrisée. Il s'agit tout de même bien d'une violence indirecte. Le message à faire passer à l'autre est : « Regarde ma force ! Regarde ce que je peux (te) faire ! »

La menace et l'hostilité passent plus clairement lorsque l'homme joue ostensiblement avec un couteau ou conduit dangereusement. Le but de ces comportements est de faire naître la peur chez l'autre.

Si nous entamions une discussion en voiture et si je n'étais pas d'accord avec lui, mon mari se mettait à conduire de plus en plus vite, frôlant les fossés, donnant de brusques coups de volant, jusqu'à ce que je le supplie et que je lui dise tout ce qu'il voulait que je dise.

L'homme violent peut également jouer à terroriser sa partenaire par des agressions indirectes, par exemple en brutalisant l'animal de compagnie.

L'indifférence aux demandes affectives

La violence morale, c'est aussi le refus d'être concerné par l'autre. C'est se montrer insensible et inattentif(ve) envers sa/son partenaire ou afficher ostensiblement du rejet ou du mépris.

Mon mari ne m'a jamais battue. Je peux même dire qu'il ne m'a pas beaucoup touchée. C'était un homme assez froid et sérieux, qui savait toujours tout mieux que les autres. Au début de notre relation, il m'a dit qu'il était comme ça et qu'il ne changerait pas. Un jour, alors que nous nous rendions chez des amis, j'ai essayé de lui prendre la main dans la rue et de lui donner un baiser. Il m'a repoussée rudement en me disant : « Ce n'est pas parce qu'on vit ensemble qu'on doit se lécher la pomme toute la journée ! » Même pendant l'acte sexuel, il refusait de m'embrasser. J'étais malheureuse avec lui et j'aurais dû le quitter, mais je n'avais rien d'objectif à lui reprocher et il me disait que c'était moi qui étais trop exigeante.

C'est ignorer ses besoins, ses sentiments, ou créer intentionnellement une situation de manque et de frustration pour maintenir l'autre en insécurité.

Pendant toute ma vie conjugale, je n'ai jamais eu une seule discussion avec mon mari. Aucun échange. Pourtant, je crois que je lui ai demandé mille fois ce qu'il me reprochait, pourquoi il me faisait tant de mal. Je n'ai jamais eu une seule réponse. Je n'ai jamais vu l'ombre d'un sentiment de compassion dans son regard.

C'est refuser de lui parler, de sortir avec le/la partenaire, de l'accompagner à l'hôpital, d'aller aux fêtes de famille. C'est bouder plusieurs jours de suite sans que l'on sache pourquoi. C'est aussi ne pas tenir compte de l'état physique ou psychologique de sa compagne, par exemple, vouloir faire l'amour après une violente dispute ou bien exiger qu'elle fasse le ménage, alors qu'elle est malade.

Comme je débutais une grossesse difficile et que le médecin m'avait demandé de rester couchée le plus possible, mon mari invita six collègues à dîner, précisant qu'il était important pour lui que je prépare un excellent repas. Pas une fois il ne proposa de m'aider. Après le repas, je dus aller à l'hôpital en raison de saignements. Il ne m'accompagna pas, prétextant qu'il lui fallait se lever tôt le lendemain pour son travail. Quand je revins à la maison après une fausse couche, il fit comme s'il ne s'était rien passé.

Les menaces

La violence psychologique peut comporter des menaces : on menace d'enlever les enfants, de priver d'argent, de frapper, de se suicider. On peut aussi suggérer qu'il y aura des représailles sur l'entourage, si la femme n'agit pas dans le sens attendu. L'anticipation d'un coup fait autant de mal pour le psychisme que le coup porté réellement, et cela est renforcé par l'incertitude dans laquelle la personne est tenue sur la réalité de la menace. Il s'agit ainsi de maintenir un pouvoir sur l'autre.

Le chantage au suicide constitue une violence extrêmement grave car il conduit alors le/la partenaire à endosser la responsabilité de la violence : « C'est ma faute, je n'ai pas su l'aider ! »

Tous ces agissements, pris séparément, pourraient s'inscrire dans le cadre d'une scène de ménage classique, mais ce sont leur répétition et leur durée dans le temps, ainsi que l'asymétrie dans les échanges, qui constituent la violence.

Contrairement à ce qui se passe dans un conflit conjugal où il existe une limite à ce qui peut se dire, dans ce type de relation fondé sur la violence psychologique, celui qui est violent vise les émotions du partenaire ou, plus exactement, ses fragilités émotionnelles. Quand on vit en couple, on a une connaissance intime de l'autre, on connaît ses failles, on peut donc frapper de façon précise, là où ça fait mal.

On peut profiter d'une confidence, d'un aveu, pour ensuite mieux détruire l'autre.

Quand ils ont décidé de se mettre en couple, Marie expliqua à Sylvain que, si elle avait des relations difficiles avec sa famille, c'était parce que son oncle avait abusé sexuellement de ses deux sœurs et que sa mère avait refusé de rompre avec cet homme. Marie, qui avait dix-sept ans au moment des faits, n'avait pas supporté et avait préféré partir habiter seule. Par la suite, chaque fois que Sylvain devenait violent et que Marie essayait de se défendre, il la traitait de folle : « Pas étonnant, avec la famille que tu as ! » Et il menaçait d'aller raconter partout qu'elle venait d'une famille incestueuse.

Au moment du divorce, il appela les personnes qui auraient pu témoigner en faveur de Marie pour enfin cracher le morceau sur ce secret de famille.

La violence psychologique constitue un processus visant à établir ou maintenir une domination sur le ou la partenaire. Comme nous allons le voir un peu plus loin, c'est une violence qui suit un certain scénario ; elle se répète et se renforce avec le temps. On commence par le contrôle systématique de l'autre, puis arrivent la jalousie et le harcèlement, et enfin les humiliations et le dénigrement. Tout cela pour se rehausser, en rabaissant l'autre.

Ces manques de respect, ces critiques pourraient paraître anodins s'ils étaient isolés, mais ces paroles ou ces gestes s'inscrivent dans un processus très destructeur pour l'estime de soi de la personne qui les subit. La répétition et le caractère humiliant de ces situations peuvent provoquer une véritable usure mentale et même amener la personne au suicide.

La violence psychologique est déniée par l'agresseur, ainsi que par les témoins qui ne voient rien, ce qui fait douter la victime de son ressenti. Rien ne vient faire la preuve de la réalité qu'elle subit. C'est une violence « propre ».

Le dominant utilise la violence pour rester dans sa position de toute-puissance. Pour lui, l'agression n'est que l'instrument lui permettant d'obtenir ou de garder ce qu'il désire, à savoir le pouvoir.

Les menaces et les actes destinés à terroriser l'autre sont l'étape ultime avant l'agression physique. Mais, à ce stade, on ne voit rien. Alors que, lorsqu'il y a violence physique, des éléments extérieurs (constats médicaux, témoins oculaires, procès-verbaux de la police) viennent témoigner de la véracité de la violence.

Les femmes n'expérimentent pas forcément toutes les formes de violence que nous allons décrire, mais il faut savoir qu'elles sont toutes liées et que les hommes violents passent de l'une à l'autre, le justifiant par le comportement inapproprié de leur compagne.

DIFFÉRENTS SCÉNARIOS
DE VIOLENCE

Les agressions physiques

La plupart du temps, la violence physique n'intervient que si la femme résiste à la violence psychologique. L'homme n'a pas réussi à contrôler suffisamment une partenaire trop indépendante. Parce qu'elle laisse des traces visibles, c'est l'agression physique, et non l'abus psychologique antérieur, qui est considérée comme violente par la femme elle-même et par le monde extérieur. Lorsqu'on appelle la police ou les associations, c'est généralement à la suite d'une agression physique. En 1998, cela concernait 84 % des femmes qui ont contacté l'association « Violence conjugale, Femmes info service ».

Quand les agressions physiques ne sont pas fréquentes, les femmes se sentent rarement victimes. Pour elles, des coups isolés ont toujours une explication logique : il avait des ennuis au travail ou bien il était fatigué.

Bien sûr, les agressions physiques ne sont pas quotidiennes ; elles surgissent quand il y a une impossibilité à parler d'un problème, quand on n'arrive plus à penser et à exprimer son malaise avec des mots.

Tant que les traces sont minimes, les femmes hésitent à dénoncer. Ainsi, cette femme à qui je demandais si son mari l'avait battue :

> Non, il ne me bat quand même pas ! Bien sûr, de temps en temps, il me frappe. Je n'aime pas le mot « battre », parce que c'est inadmissible, alors que « frapper », c'est moins grave.

Quand elle ne paraît pas intentionnelle, la violence physique n'est pas toujours reconnue comme telle par la femme :

> Depuis la naissance de leurs enfants, Gérard, le mari de Sophie, est devenu de plus en plus jaloux. Il la surveille, l'isole, la harcèle, mais il ne l'a jamais « battue ». Quand elle vient me voir cette semaine-là, elle a un gros hématome à la joue et elle me dit : « Mon mari voulait écouter mes messages sur mon téléphone. Il me l'a arraché des mains. Quand j'ai voulu le reprendre, il m'a repoussée avec un tabouret et m'a fait tomber. J'ai de gros hématomes, mais je ne peux pas porter plainte car il ne m'a pas frappé directement avec le tabouret, je suis tombée toute seule. »

Des actes de violence physique peuvent n'avoir lieu qu'une fois ou se répéter mais, quand ils ne sont pas dénoncés, il y a toujours une escalade en intensité et en fréquence. Il suffit, par la suite, d'évoquer la première agression par des menaces ou un geste pour que, selon le principe du réflexe conditionné, la mémoire réactive l'incident chez la victime et la conduise à se soumettre à nouveau.

La violence physique inclut une large gamme de sévices qui peuvent aller d'une simple bousculade à l'homicide : pincements, gifles, coups de poing, coups de pied, tentatives de strangulation, morsures, brûlures, bras tordus, agression avec une arme blanche ou une arme à feu… La séquestration n'est pas à exclure, comme on l'a déjà vu avec Diane. Frapper au ventre avec le plat de la main, tirer les cheveux, bousculer, tordre les bras ne laisse pas de traces, et certains hommes le savent pertinemment. Il suffit d'un foulard ou d'un col roulé pour dissimuler une tentative de strangulation. Mais, quand les violents se lâchent, on voit parfois arriver, aux urgences des hôpitaux, des femmes dans un état proche du boxeur après un match, avec l'arcade sourcilière défoncée, des fractures du nez ou des perforations du tympan.

Beaucoup de coups visent le ventre lorsque la femme est enceinte, comme s'il fallait atteindre sa capacité de reproduction, ou bien le visage, les yeux, comme s'il fallait annuler le regard qui peut juger et détruire la pensée. On voit bien là qu'il s'agit, par ces gestes, d'annuler l'autre en tant que sujet.

Par les coups, il s'agit de marquer le corps, de faire effraction dans l'enveloppe corporelle de la femme, de faire tomber ainsi la dernière barrière de résistance, pour la posséder entièrement. C'est la marque de l'emprise, c'est l'empreinte qui permet de lire sur le corps l'acceptation de la soumission.

Lorsque les femmes ont subi très longtemps des humiliations, mais qu'elles n'ont pas su réagir, il se peut qu'un épisode de violence physique, sanctionné par la police, provoque en elles un déclic et leur permette de trouver une issue. Mais, le plus souvent, comme on a pu le voir dans le cas de Diane et Stéphane, la plainte à la police calme les agressions physiques, mais la violence est toujours là et se manifeste autrement, par exemple, par des attaques verbales ou psychologiques.

Il arrive aussi, lorsque la femme réagit aux coups et, éventuellement, les rend, que l'homme retourne la situation à son profit en accusant sa compagne de violence. On peut alors croire qu'il ne s'agit que d'une banale scène de ménage.

À propos de la violence psychologique, nous avons vu que les victimes doutaient longtemps de la réalité de la maltraitance qu'elles subissaient. Pour les mêmes raisons, il peut en être de même avec une agression physique.

> Après une énième dispute avec François, son mari, Nadia va s'asseoir sur le bord de la fenêtre de sa chambre. François la rejoint, furieux, la traite de « sale merde », la secoue, puis la pousse. Nadia tombe de la fenêtre du premier étage. Malgré un trauma crânien, Nadia ne contredira pas la version de François, parlant d'un malaise suivi d'une chute. Elle n'est plus sûre de rien.

La violence physique peut aussi s'exprimer indirectement en torturant un animal familier ou en malmenant un enfant d'un autre lit. Le but de ces attaques est de faire peur, mais c'est tout aussi douloureux *physiquement* que si le coup était réellement porté.

Même lorsque les coups ne sont pas réellement portés, la femme vit la souffrance à travers son corps. Elle a mal à la tête, au ventre, dans les muscles, etc., comme si elle avait incorporé le message de haine en elle. Toutes les études montrent que les femmes qui subissent de la violence, qu'elle soit physique ou psychologique, ont un état de santé nettement moins bon que les autres femmes et qu'elles consomment beaucoup plus de médicaments, en particulier de médicaments psychotropes. Nous voyons bien qu'un lien se fait là avec la violence psychologique. Le geste violent que l'on anticipe mais qui ne vient pas a un effet tout aussi destructeur (sinon plus !) que le vrai coup porté, qui n'arrive pas forcément au moment où on l'attend.

C'est souvent quand les femmes ont pris la décision de partir que leur compagnon est le plus violent physiquement. Les femmes le savent et c'est pour cela qu'elles craignent d'aggraver les choses en partant. Le chantage, les menaces et la manipulation sont redoutés et redoutables : « Si je pars, il va y avoir des représailles. Est-ce que je vais pouvoir assumer ? » Il leur arrive aussi de craindre que l'homme n'aille mal, qu'il ne déprime ou même qu'il ne se suicide.

C'est pour cela que les femmes ont besoin d'être accompagnées et soutenues, afin de démêler ce qui est chantage et ce qui est à prendre au sérieux. C'est un véritable plan de sécurité qu'il faudra parfois mettre en place, pour les aider à y voir clair. Nous en parlerons ultérieurement.

La violence sexuelle

C'est la forme de violence dont les femmes ont le plus de mal à parler et pourtant elle est très souvent présente. La violence sexuelle comprend un spectre très large allant du harcèlement sexuel à l'exploitation sexuelle, en passant par le viol conjugal.

Ce peut être obliger quelqu'un à des activités sexuelles dangereuses ou dégradantes, à des mises en scène déplaisantes, mais le plus souvent il s'agit simplement d'obliger une personne à une relation sexuelle non désirée, soit par la suggestion (tu es bien pudibonde !), soit par la menace. On peut imposer, par exemple, une grossesse à une femme qui ne la désire pas, quand on sait que l'arrivée d'un enfant peut être une façon supplémentaire de la contrôler. Les violences sexuelles peuvent être à l'origine de traumatismes pelviens ou de transmission de maladies sexuellement transmissibles ; dans un tel contexte, les femmes ne sont pas en position d'exiger un préservatif.

Dans une étude récente[1] portant sur 148 femmes victimes de violence dans leur couple, ayant fait l'objet d'une décision de justice, 68 % des victimes interrogées rapportaient avoir subi, en plus des coups et blessures, des violences sexuelles conjugales, et les femmes agressées sexuellement présentaient significativement plus de symptômes psychologiques posttraumatiques que celles qui n'avaient subi qu'une violence physique sans composante sexuelle.

1. McFarlane J., « Intimate partner sexual assault against woman. Frequency, health consequences, and treatment outcomes », *Obstetrics & Gynecology,* 2005.

Une relation sexuelle imposée est souvent passée sous silence parce qu'elle fait partie du « devoir conjugal », considéré encore aujourd'hui comme un droit pour l'homme et une obligation pour la femme. Beaucoup de femmes acceptent des rapports sexuels qu'elles ne désirent pas, simplement pour que leur partenaire cesse de les harceler.

Il n'est pas toujours facile de distinguer ce qui est un rapport sexuel consenti de ce qui est un rapport sexuel sous la contrainte. Combien de femmes disent : « J'ai fini par céder parce qu'il m'a d'abord suppliée, puis il s'est moqué, puis il m'a menacée ! »

> Depuis que son mari est violent, Pascale n'a plus beaucoup de désir sexuel, mais il lui met une telle pression, fait un tel chantage, qu'elle finit par céder, se disant : « Si je contente son désir, il sera plus calme ; ça se passera mieux ! »

Dans une étude québécoise portant sur 200 femmes victimes de violence dans leur couple[1], les trois quarts d'entre elles (75,4 %) avaient signalé que les rapports sexuels avec le conjoint étaient une façon d'avoir la paix.

La violence sexuelle a deux manières de se manifester, par l'humiliation et/ou la domination.

---

1. Regroupement provincial des maisons d'hébergement et de transition pour femmes victimes de violence, 1987.

Quand son partenaire l'humilie, la femme se sent dégradée en tant qu'être humain. Ce n'est qu'une variante de la violence psychologique ; il s'agit de la rabaisser.

> Lorsque mes enfants étaient petits, il y avait toutes les semaines une émission à la télévision avec des femmes aux seins nus. Mon mari ne la ratait jamais, il se plantait devant le poste et appelait nos fils : « Les garçons, venez voir des nanas avec des gros nibars. C'est pas comme votre mère ! » S'ensuivait, devant les enfants, toute une série de plaisanteries graveleuses sur les seins des vraies femmes et sur ma poitrine plate. Bien sûr, au début, je me plaignais, mais il m'a tellement dit que je n'avais aucun sens de l'humour, que tous les hommes aimaient les gros seins, que j'ai fini par m'enfermer dans la cuisine à ces moments-là.

Presque tous les hommes violents, dans leurs moments d'énervement, utilisent un vocabulaire grossier, des injures avilissantes, assimilant la femme à une prostituée : « Sale pute, tout juste bonne à sucer des b… ! »

Mais la violence sexuelle est avant tout un moyen de dominer l'autre. Cela n'a rien à voir avec le désir, c'est simplement, pour un homme, une façon de dire : « Tu m'appartiens. » Il faut dire que beaucoup d'hommes alimentent leurs fantasmes sexuels de pratiques véhiculées par la pornographie, où la domination masculine est mise en scène de façon caricaturale.

Cette violence de domination et d'asservissement peut aussi concerner un homme dans un couple homosexuel ou hétérosexuel, les injures sont du même ordre : l'homme est « féminisé », traité de femmelette, de gonzesse, de pute.

Face à une telle pression, certaines femmes ne savent pas quelles limites donner aux demandes sexuelles de leur partenaire :

> Sophie a connu Rémy alors qu'elle n'avait que dix-sept ans. Il était plus âgé et avait déjà une bonne position sociale. Elle était mal dans sa peau et ne se trouvait pas séduisante. Il avait de fortes demandes sexuelles, et, comme elle ne se sentait pas à la hauteur, elle accepta, à contrecœur, de pratiquer l'échangisme. Quand elle refusa de continuer ces pratiques sexuelles qui ne lui plaisaient pas, il devint furieux : « Tu donnes un jouet à un enfant et tu lui retires ! » Elle culpabilisa et lui amena quelque temps des femmes à la maison. Depuis, il tient le compte précis de leurs rapports sexuels. Il exige que, le soir, elle mette des tenues sexy (porte-jarretelles, bas fins, chaussures à talons très hauts…). « Au début, je le faisais pour lui faire plaisir, maintenant je le fais pour avoir la paix car, sinon, il finit par être violent. »

Souvent, les femmes non légitimes, les « maîtresses », se sentent obligées d'accepter plus, quitte à devenir des objets sexuels.

Delphine était infirmière dans la clinique où Martin travaillait comme médecin. Dès le début de leur liaison, il s'est montré, en privé, violent verbalement ; il la traitait de putain, de salope, lui disait qu'elle était nulle, incapable. Sous prétexte qu'elle n'était pas sa femme, elle devait accepter toutes ses fantaisies sexuelles ; par exemple, un jour, il l'a emmenée dans le bois de Boulogne et l'a obligée à faire une fellation à un Noir. Elle a fini par craquer et a tenté de s'enfuir, mais il l'a poursuivie, rattrapée, puis violée. Quand elle a été enceinte, il a craint qu'elle ne fasse du chantage et est venu chez elle avec le matériel nécessaire pour pratiquer lui-même l'avortement. C'est ce qui a décidé Delphine à mettre fin à la relation et à porter plainte.

Même si cette affaire a été jugée, cette femme reste gravement traumatisée. Quand elles tentent de se plaindre à l'extérieur, les femmes ont souvent du mal à se faire entendre car, dans l'esprit de beaucoup, elles sont masochistes par nature. Or, le masochisme consiste à prendre du plaisir, à se soumettre dans un jeu sexuel. Cela ne signifie aucunement qu'il doit en être de même dans la vie courante. Pourtant il peut se faire qu'un homme impose, par la force et le chantage, ce genre de pratiques à une femme qui ne le désire nullement. Dans ce cas, elle se retrouve en position d'esclave sexuelle. Elle aura bien du mal à être crue, si elle réussit enfin à échapper à son « maître ».

Dès le début de sa relation avec Céline, Bernard se montra « particulier » lors de leurs rapports sexuels. Il la pinçait, la piquait, la fessait. Elle n'aimait pas ça, mais il disait que c'était normal, que c'était juste un piment pour éviter la routine. Lorsqu'il a voulu pratiquer l'échangisme, elle accepta à contrecœur. Il l'introduisit dans les milieux sadomasochistes.

Il lui mettait des anneaux dans le sexe, lui cousait les seins. Il la frappait avec une cravache, lui donnait des décharges électriques dans les organes génitaux avec un petit appareil. Si elle se plaignait, elle se retrouvait attachée dans la cave. Si elle se contrôlait et ne criait pas, il la câlinait et était gentil avec elle.

Par deux fois, elle voulut partir et divorcer, mais chaque fois, il est revenu la chercher en disant que, si elle partait, il dirait au juge qu'elle se prostituait, pour qu'elle n'ait pas la garde de leurs enfants : « J'ai des photos, tu ne pourras pas dire que tu ne couchais pas avec tout le monde ! » Lors d'une de ses tentatives de fuite, le policier, à qui elle s'était plainte, donna l'adresse de son refuge à son mari qui put ainsi venir la rechercher. Celui-ci avait réussi à convaincre la police qu'à la suite d'une dispute sa femme avait enlevé un de leurs enfants.

Céline ne savait pas comment faire pour se sortir de là car elle avait honte de parler de ce que son mari lui faisait : « Comment dire tout cela à quelqu'un qui ne sait même pas que ça existe ! »

Un jour, profitant de la baisse de vigilance de son mari, Céline réussit à partir, en emportant des preuves de ce qu'elle avait subi. Une plainte fut déposée pour coups et blessures volontaires, tortures et actes de barbarie. Pour le moment, Bernard est resté dans leur maison commune et a gardé la voiture et la maison de campagne. Céline vit dans un petit studio.

La violence sexuelle peut se poursuivre même après la séparation par des menaces et du harcèlement :

Anne quitte Gérard après un an et demi de relation, « parce qu'il me mentait, ne me respectait pas, me trompait et peut-être tout simplement car je ne l'aimais pas ou plus ». Pendant la durée de leur relation, il leur était arrivé de filmer leurs relations intimes.

Furieux d'être quitté, Gérard crée une page personnelle sur Internet avec des photos d'Anne pendant l'acte sexuel accompagnées de commentaires obscènes. Non seulement il l'en informe en lui communiquant l'adresse du site, mais il ajoute qu'il va envoyer un DVD de leurs ébats aux amis, collègues et patron de celle-ci. Elle apprend qu'il a effectivement fait parvenir par coursier à sa hiérarchie des photos d'elle, nue, avec comme commentaire : « Faites attention à elle, c'est une chienne ! »

Anne est effondrée : « Je suis salie par l'image qu'il me renvoie. J'ai honte d'avoir partagé si longtemps la vie d'une personne qui me méprise au point de m'exhiber comme un objet. » Malgré les menaces de représailles de Gérard, elle s'est décidée à porter plainte à la police, mais elle reste traumatisée et culpabilisée de lui avoir donné sa confiance et son corps.

Toute violence sexuelle constitue un traumatisme majeur. Il peut se faire qu'une personne à qui l'on a imposé une violence sexuelle vive désormais avec la conviction qu'elle est méprisable et qu'aucun autre partenaire désormais ne l'acceptera.

La pression économique et financière

Il faut bien considérer la pression économique comme une forme particulière de violence psychologique, comme un piège ou un chantage supplémentaire, empêchant les femmes de sortir de la relation aliénante car elles ont tout autant de difficultés à quitter leur partenaire lorsqu'elles gagnent correctement leur vie ou même lorsque la dépendance matérielle est inversée, comme c'est le cas dans l'exemple qui suit. Sous le prétexte d'un licenciement ou d'une profession aléatoire, certains hommes s'arrangent pour cesser de travailler et se faire entretenir par leurs compagnes. Dans ce cas, c'est la culpabilité qui pousse celles-ci à rester.

> Sarah vit avec Paul depuis huit ans. Au début, ils travaillaient tous les deux ; le salaire de Paul était nettement supérieur à celui de Sarah. Puis Paul a perdu son travail. Il a ensuite décroché des entretiens d'embauche qui se sont mal passés ; il en ressortait découragé, il a fini par cesser de chercher. Sarah paie le loyer ; d'ailleurs, le bail est à son nom

puisqu'elle a obtenu ce logement par son travail. Paul n'a aucune autonomie. Non seulement il ne travaille pas, mais il ne s'occupe pas non plus des tâches domestiques.

Sarah aimerait bien partir, mais elle se demande ce qu'il va devenir sans elle : « Il me dit que, si je le quitte, il deviendra SDF à cause de moi. Je ne peux tout de même pas lui faire ça. J'ai pitié de lui. Que dirait notre entourage ? »

Il y a aussi le cas plus classique où la crainte des difficultés matérielles, conséquence de leur dépendance économique, empêche les femmes de quitter un conjoint violent. Elles ont peur de ne pas joindre les deux bouts, de ne pas trouver un travail, un logement. Souvent, elles ne connaissent pas leurs droits et les aides possibles, et elles sont découragées.

La pression économique s'exerce différemment selon les milieux, mais, dans tous les cas, il s'agit de retirer à la femme son autonomie, de faire en sorte qu'elle n'ait pas de marge de manœuvre si elle manifeste des velléités de séparation.

Pour s'assurer de garder le pouvoir financier, l'homme peut commencer par vérifier systématiquement tous les comptes, refuser de donner suffisamment d'argent ou bien donner l'argent au compte-gouttes, tout cela accompagné de remarques culpabilisantes. Cela peut aller jusqu'au refus d'accorder à sa compagne une carte bleue ou un chéquier. On est parfois étonné qu'une femme qui travaille ne puisse même pas avoir accès à ses comptes. Cette dépendance peut exister, quel que soit le niveau de revenus du ménage, et il arrive que l'homme masque la pression économique qu'il fait subir à sa femme au quotidien en lui faisant de temps en temps des cadeaux onéreux…

Après de longues études financées par Léa, Jérôme a maintenant une bonne situation. Le couple a une belle voiture, un bel appartement, une maison de campagne. Jérôme considère que le travail de Léa ne correspond pas à leur standing, il lui a donc demandé de cesser ses activités. C'est désormais lui qui prend toutes les décisions concernant le ménage, il ne demande jamais l'avis de sa femme. Elle n'a qu'un budget très serré pour le quotidien. Il veut qu'elle soit toujours bien habillée, mais c'est lui qui choisit les vêtements qu'elle doit mettre, « puisqu'il paie ».

Après une dispute, et surtout s'il s'est montré violent physiquement, il a pris l'habitude de lui offrir un bijou ou un foulard, pour conclure d'un « De quoi te plains-tu ? ».

L'homme peut chercher à convaincre sa femme de cesser son activité professionnelle ou ses études, en mettant en avant le fait que les enfants sont malheureux sans leur mère, que les repas sont trop vite faits, la maison mal tenue, que ce second salaire ne sert qu'à augmenter les impôts, etc. Cette situation imposée rend toute tentative de séparation encore plus difficile.

J'avais un bon poste à l'Université et, comme j'étais bien notée, il y avait de fortes chances que j'obtienne de plus en plus de responsabilités. C'est alors que mon mari se mit à critiquer mes collègues, mes supérieurs. Il réussit à me convaincre que je n'avais rien à attendre d'une carrière dans un tel contexte professionnel. Je finis par donner ma démission. Par la suite, puisque c'était lui qui gagnait l'argent, il estimait normal de prendre, seul, les décisions financières de la maison. Il se mit à gérer non seulement l'argent qu'il gagnait, mais aussi l'argent qui venait de l'héritage de mon père. Quand je protestais, il me faisait remarquer que j'étais tellement dépensière qu'en agissant ainsi il ne faisait que me protéger.

Dans le cas particulier des femmes qui exercent la même profession que leur mari, comme on a pu le voir pour Diane et Stéphane, quelles que soient leurs compétences, elles se retrouvent souvent en seconde position, chargées de mettre en valeur leur partenaire. Celles qui sont assistantes de leur mari sont rarement déclarées fiscalement comme « conjointe collaborateur » et, en cas de séparation, elles n'ont aucune protection.

On pense généralement que cette dépendance n'est possible que lorsque le salaire des femmes est inférieur à celui de leur compagnon, on vient de voir que ce n'est pas une règle absolue ; dans les couples où la femme gagne plus que son compagnon, celui-ci peut très bien dévaloriser la position enviable de sa compagne en se plaignant que celle-ci délaisse le foyer, et c'est souvent un argument supplémentaire pour justifier sa violence.

Même s'il persiste des inégalités flagrantes de revenus entre femmes et hommes, la dépendance matérielle des femmes n'est plus aussi forte que dans le passé, il en résulte de nouvelles formes de domination beaucoup plus subtiles. Néanmoins, la crainte des difficultés matérielles n'est souvent qu'un argument rationnel mis en avant pour retarder le départ. Le vrai obstacle au départ des femmes victimes de violence n'est pas la dépendance matérielle mais la dépendance psychologique.

Le harcèlement par intrusion (stalking)

La majorité des homicides de femmes se produisent pendant la phase de séparation. En effet, la violence et l'emprise s'accentuent à ce moment-là et peuvent perdurer longtemps après. L'homme refuse de lâcher son ancienne compagne, comme si elle était sa possession. Il ne peut se passer d'elle, il la surveille, la suit dans la rue, la harcèle au téléphone, l'attend à la sortie de son travail. Il arrive que la femme soit obligée de déménager. C'est comme si l'agressivité et la violence, qui étaient restées contenues pendant la relation, se libéraient.

Aux États-Unis, des mesures (*protective orders*) ont été prises pour protéger les femmes victimes de ce type de harcèlement extrêmement dangereux puisqu'il peut se terminer par un meurtre.

> Depuis que Jennifer a quitté son ami Robert, il l'appelle sur son téléphone fixe plusieurs fois par jour, alternant les déclarations d'amour et les menaces. Il lui laisse des messages sur son portable : « J'enverrai des photos compromettantes à tes parents, à ton travail ! » Il fait le siège de son appartement pendant des heures. Elle n'ose pas sortir car elle a peur.

Quand il sonne à l'interphone, elle n'ose pas répondre. Pour se venger, il écrit « Je t'aime » sur sa porte et des injures sur sa boîte aux lettres. Il lui fait porter des photos d'elle avec des légendes obscènes. Peu après, il lui envoie des demandes en mariage.

Jennifer a connu Robert, il y a cinq ans. Au départ, il y avait entre eux une très forte attirance physique. Rapidement, devant les incohérences du comportement de Robert, elle a voulu le quitter, mais il a fait du chantage au suicide et elle a cédé. Plus tard, quand elle a essayé à nouveau de partir, il a mis en scène son suicide : rentrant du travail, elle l'a trouvé comateux et a appelé les pompiers. À ceux qui lui portaient secours, il rétorque : « C'est un appel abusif, mademoiselle est une hystérique ! »

Cette fois-ci, c'est la violence physique qui a décidé Jennifer à partir. À la suite d'une banale discussion où il la trouvait trop distante, il lui a tiré les cheveux, puis, à califourchon sur elle, s'est mis à la frapper : « Je comprends le mec de Vilnius ! » Elle était terrorisée car il parlait de se suicider avec elle. Toute la nuit il l'a retenue, a voulu faire l'amour et a pris des photos de leurs ébats.

Jennifer a peur d'envenimer les choses en portant plainte. Elle espère qu'il va se calmer tout seul avec le temps. Elle n'est plus très sûre de vouloir le quitter. Quand il a laissé des messages d'excuses, elle s'est sentie déstabilisée, se demandant s'il était normal de se protéger autant d'un homme qui ne lui veut pas tant de mal que ça. Elle se dit que, s'il continue à avoir un comportement normal, elle pourrait avoir envie de le revoir. Elle lui cherche des excuses : « C'est quelqu'un qui peut être intéressant, très dynamique par ailleurs, mais il est paumé comme un enfant et il ne peut pas se passer de moi. »

À travers ce cas clinique, on peut voir l'ambivalence de Robert : « Je t'aime, je te hais », et aussi l'ambivalence de Jennifer. Elle est sous emprise, ce qui la rend incapable de distinguer ce qui est bon pour elle de ce qui ne l'est pas. Nous analyserons plus loin comment on peut en arriver à des comportements si contradictoires qui paraissent dénués de bon sens.

Le meurtre du conjoint

Les violences conjugales sont une des causes principales de la mortalité des femmes. D'après le ministère de l'Intérieur, en France, trois femmes meurent du fait de violences conjugales tous les quinze jours. Aux États-Unis, 70 % des femmes qui sont tuées le sont par leur compagnon ou ex-compagnon et, dans deux tiers des cas, le décès était précédé de violences physiques graves[1].

Le crime dit « passionnel » jouit d'un statut spécial dans l'opinion publique, parce qu'il semble avoir quelque chose d'absolu, d'amour irrémédiable.

1. Campbell J.C., *Assessing Dangerousness,* SAGE Publications, 1995.

Dans une étude sur les faits divers relatant les crimes passionnels dans les journaux, on voit que tuer « par amour » est d'emblée, pour les journalistes et, par conséquent, pour les lecteurs, une circonstance atténuante. « Le criminel est excusé en raison du caractère imprévisible de son acte, mais, de plus, la contribution de la victime à la genèse du crime est fréquemment invoquée[1]. »

De la même façon, lors des jugements, les jurés manifestent habituellement une secrète bienveillance envers le criminel. On peut d'ailleurs se demander s'il ne s'agit pas plutôt chez eux d'une malveillance inconsciente envers la victime, qui ne se serait pas montrée à la hauteur d'un amour aussi fort. Les avocats mettront souvent en avant la provocation de la victime, pour atténuer la responsabilité de l'auteur.

Tuer le conjoint peut être un acte impulsif accompli sur un fond de violences répétées et de jalousie. Dans ce cas, la dégradation de la relation est parvenue à un tel paroxysme que le partenaire violent ne supporte plus l'autre. Il suffit alors d'un incident même minime pour provoquer le drame.

Il peut aussi se faire que le décès ne soit qu'un dérapage – l'agresseur dirait un « accident » – dans un contexte de violence physique habituelle. Il suffit d'un coup de plus ou d'un coup plus grave qu'un autre pour que l'on passe, selon la formule juridique, à des « coups ayant entraîné la mort sans intention de la donner ».

---

1. Houel, Mercader, Sobota, *Crime passionnel, crime ordinaire,* Paris, PUF, 2003.

Nous l'avons dit, le meurtre du conjoint se produit le plus souvent au moment d'une séparation. Alors que la moitié des femmes assassinées le sont par un homme qu'elles connaissent intimement, un quart d'entre elles le sont alors qu'elles venaient de se séparer. Elles se font tuer après leur départ ou quand elles projettent de partir. L'homicide correspond à une prise de conscience de l'insupportable altérité de l'autre. On voit bien qu'il ne s'agit pas d'amour mais de fusion.

La jalousie pathologique, qui a aussi été appelée « paranoïa conjugale », est faite de ruminations sans fin concernant la partenaire. L'homme est tellement dépendant de sa compagne que, se sentant abandonné parce qu'elle lui échappe en étant simplement elle-même, il préfère la tuer pour ne plus voir cette altérité. Bien sûr, il ne peut plus vivre ensuite, puisqu'elle n'est plus là, et il sombrera dans un état dépressif majeur, et pourra même finir par se suicider.

Il arrive que le meurtre ait été plus ou moins prémédité. C'est le cas de certains jaloux qui, estimant avoir subi un préjudice ou une injustice, vont tuer pour obtenir réparation. En éliminant l'autre, le jaloux veut se venger et avoir ainsi le dernier mot. Ce peut être quand la partenaire tente de fuir. Dans ce cas, la rumination haineuse et jalouse de l'homme s'accentue : « Elle va voir ! Ça ne va pas se passer comme ça ! Si elle me quitte, aucun autre homme ne l'aura ! » Cette pensée obsessionnelle envahit le sujet au point de ne plus pouvoir envisager d'autre solution que le meurtre, même si cela peut être dommageable pour lui-même.

Le meurtre de la partenaire constitue un acte de domination extrême. Bien sûr, la prise d'alcool ou de drogue peut jouer un rôle en levant les inhibitions et en libérant les pulsions agressives, mais il s'agit, au départ, de l'affirmation de sa propre toute-puissance qui ne peut s'imposer qu'au prix de la négation de l'autre et de sa valeur.

VIOLENCE CYCLIQUE
OU VIOLENCE PERVERSE ?
SAVOIR LES DISTINGUER

La violence cyclique

Les premiers spécialistes à avoir étudié la violence conjugale, en particulier Lenore E. Walker[1], ont décrit qu'elle se manifeste sous forme de cycles, car c'est le mode le plus fréquent, mais ce n'est pas le seul. Toutes les relations violentes ne connaissent pas ces cycles. Comme nous le verrons par la suite, seuls les individus impulsifs et, particulièrement, ceux qui présentent une personnalité *borderline* connaissent une violence cyclique.

Cette violence s'installe progressivement dans le couple, d'abord par de la tension et de l'hostilité, qui ne sont pas toujours repérées.

Le premier épisode violent se situe souvent pendant la grossesse ou dans les suites immédiates de l'accouchement. L'enfant à venir est perçu comme l'intrus qui va retirer à l'homme l'attention de sa

---

1. Walker L.E. *The Battered Woman,* New York, Harper & Row, 1979.

compagne, celui-ci peut craindre d'être évincé. Dans sa difficulté à se concevoir comme père, l'homme peut voir resurgir des angoisses liées à des expériences précoces difficiles, en particulier avec sa propre mère. Il lui faut renoncer à une position d'adolescent pour devenir parent, et certains hommes sont tellement perturbés par ce passage qu'ils en viennent même à mettre en doute leur paternité : « Est-ce que ce ne serait pas l'enfant du facteur ? »

Classiquement, le cycle de violence se déroule en quatre phases et de manière répétitive. À chaque étape, le danger augmente pour celle qui subit.

— *Une phase de tension,* d'irritabilité de l'homme, liée, selon lui, à des soucis ou à des difficultés de la vie quotidienne. Pendant cette phase, la violence n'est pas exprimée directement, mais elle transparaît à travers les mimiques (silences hostiles), les attitudes (regards agressifs) ou le timbre de la voix (ton irrité). Tout ce que fait la compagne énerve. Celle-ci, sentant cette tension, se bloque, s'efforce d'être gentille, de calmer le jeu pour faire baisser la tension. Pour cela, elle renonce à ses propres désirs et fait en sorte de satisfaire son compagnon. Pendant cette phase de montée de la violence, l'homme tend à rendre la femme responsable des frustrations et du stress de sa vie. Bien sûr, les raisons invoquées par lui ne sont qu'un prétexte et en aucun cas une cause de la violence ; pourtant, la femme se sent responsable. Si elle demande ce qui ne va pas, son compagnon répond que tout va bien, que c'est elle qui invente, qu'elle a une perception fausse de la réalité, et il la culpabilise : « De quoi est-ce que tu me parles ? », « Je ne comprends pas de quoi tu te plains ! », « Tu me cherches, tu vois bien que je n'ai rien fait ! » Il en vient alors à la violence verbale et aux insultes, et la femme regrette d'avoir posé une question.

— *Une phase d'agression* où l'homme donne l'impression de perdre le contrôle de lui-même. Ce sont alors des cris, des insultes et des menaces ; il peut aussi casser des objets avant de l'agresser physiquement. La violence physique commence progressivement : bousculades, bras tordus, gifles, puis coups de poing et éventuellement recours à une arme. Il n'est pas rare qu'à ce stade l'homme veuille avoir des rapports sexuels, pour mieux marquer sa domination. Les hommes parlent souvent de l'éclatement de la violence comme d'un soulagement, d'une libération d'énergie négative accumulée. La femme ne réagit pas, parce que le terrain a été préparé par de petites attaques perfides et qu'elle a peur. Elle peut protester, mais elle ne se défend pas. Comme nous le verrons dans le chapitre suivant, l'agression amène chez elle rarement de la colère, plutôt de la tristesse et un sentiment d'impuissance. Toute réaction de colère ne fait qu'aggraver la violence du partenaire, aussi la femme est démunie et, en raison de l'emprise, n'a souvent pas d'autre solution que la soumission.

— *Une phase d'excuses,* de contrition, où l'homme cherche à annuler ou à minimiser son comportement. Ces explosions de violence sont, certes, suivies de remords, mais, comme il s'agit d'un sentiment désagréable, l'homme tente de s'en débarrasser en cherchant une explication qui pourrait le déculpabiliser. Le plus facile est de rendre sa partenaire responsable ;

elle l'a provoqué. Ou il justifie son comportement par des motifs extérieurs (colère, alcool ou surcharge de travail). Cette phase a pour fonction de culpabiliser la femme et de l'amener à oublier sa colère. Généralement, elle se dit qu'en étant plus attentive et en modifiant son comportement elle évitera que son compagnon ne s'énerve à nouveau. L'homme demande pardon, jure que cela ne se reproduira plus, qu'il va consulter un psychologue, s'inscrire aux Alcooliques Anonymes, etc. Si la femme réussit enfin à partir, il va contacter un proche pour la convaincre de revenir. À ce moment-là, l'homme est sincère, mais cela ne veut pourtant pas dire qu'il ne recommencera pas. Trop souvent, les femmes prennent pour argent comptant les belles promesses faites pendant cette phase et accordent rapidement leur pardon. D'autant que l'homme profite de ce moment pour se justifier en parlant de son enfance malheureuse et faire du chantage : « Toi seule peux m'aider. Si tu me quittes, il ne me reste qu'à mourir ! »

— *Une phase de réconciliation,* appelée aussi phase de « lune de miel[1] », où l'homme adopte une attitude agréable, est soudainement attentif, prévenant. Il aide aux tâches ménagères. Il se montre même amoureux, offre des cadeaux, des fleurs, invite au restaurant et fait des efforts pour rassurer sa femme. Il peut même lui faire croire que c'est elle qui détient le pouvoir. On interprète parfois cette phase comme une manipulation perverse des hommes pour

1. Selon M.-F. Casalis, conseillère technique à la Délégation régionale aux droits des femmes de l'Île-de-France, il vaudrait mieux dire « pseudo-lune de miel ».

mieux « tenir » la femme. En réalité, à ce moment précis, les hommes sont sincères car ils sont paniqués à l'idée qu'ils sont allés trop loin et que leur femme va les quitter. Comme nous le verrons par la suite, c'est la peur de l'abandon qui conduit à ce changement ponctuel et c'est cette même peur qui va, plus tard, les amener à reprendre le contrôle de leur femme. Pendant cette phase, les femmes reprennent espoir car elles retrouvent l'homme charmant qui a su les séduire lors de leur première rencontre. Elles pensent qu'elles vont réparer cet homme blessé et qu'avec de l'amour il va changer. Malheureusement, cela ne fait qu'entretenir l'espoir chez la femme et augmente ainsi son seuil de tolérance à l'agression. C'est généralement à ce moment-là qu'elle retire sa plainte. Alors que la peur qu'elle ressent pendant la période agressive pourrait lui donner envie de mettre fin à cette situation, le comportement de son compagnon, pendant la phase de contrition, l'incite à rester. Le cycle de la violence peut donc recommencer...

Lorsque la violence est installée, les cycles se répètent, telle une spirale qui va en s'accélérant dans le temps et avec une intensité croissante. Au fur et à mesure, la période de rémission diminue et le seuil de tolérance de la femme augmente. Elle finit par trouver cette violence normale, voire justifiée. À un certain moment, si aucune rupture ne vient interrompre le processus, la vie de la femme peut être en danger.

Il y a un décalage très grand dans le comportement de l'homme pendant la phase de tension et pendant la phase de réconciliation. Les femmes disent souvent qu'elles ne sont plus en face du même homme, mais d'un Dr Jekyll et Mr. Hyde. Pendant la première phase, pour se sentir mieux, l'homme a besoin de soulager sa tension ; pendant la phase suivante (de réconciliation), il a besoin de se rassurer car il craint d'être abandonné.

Chez l'homme violent, il y a une sorte d'addiction à ce comportement, il ne sait plus se calmer autrement que par la violence. Lorsque le cycle est initié, il ne peut être interrompu que par l'homme lui-même. Quelle que soit son attitude, la femme n'a aucun moyen de l'arrêter. Elle prend alors le parti de cajoler et réconforter son agresseur, de manière à le satisfaire. Elle l'observe, guette les signes subtils qui peuvent être annonciateurs d'une crise : changement de ton, façon particulière d'ouvrir la porte, etc. Face aux violences verbales, les femmes tentent, le plus souvent, de s'expliquer ou de calmer leur partenaire. Face aux agressions physiques, elles essaient de fuir ou de se réfugier dans une autre pièce. C'est pour elles une question de survie car elles savent que l'affrontement peut augmenter la violence. Certaines répondent aux coups par des coups, mais elles prennent le risque de voir redoubler la violence de leur partenaire ou bien de passer elles-mêmes pour violentes. Néanmoins, il arrive que ce type de réaction marque, chez l'autre, une limite à ne pas dépasser.

La violence perverse

Une autre forme de violence, beaucoup plus insidieuse, subtile et permanente existe, c'est la violence perverse. Bien sûr, on rencontre des formes intermédiaires que l'on pourrait qualifier de « cycliquement perverses ».

Muriel et Benjamin ont vécu ensemble pendant cinq ans avant de se marier. Selon Muriel, mis à part le fait que Benjamin donnait parfois l'impression d'être un enfant gâté, cette période était un vrai conte de fées.

Alors que tous les deux désiraient un enfant, les choses ont commencé à se dégrader quand Muriel a été enceinte. Benjamin est devenu de plus en plus possessif et exigeant ; il s'est mis à critiquer tout ce que Muriel aimait et faisait. Il refusait toute discussion.

Quatre jours après la naissance de leur enfant, les choses ont empiré. Sous un prétexte futile, il s'est mis en colère, a cassé le lit portable du bébé et a bousculé Muriel. Par la suite, la pression a encore augmenté. Il réveillait sa compagne, quand elle essayait de se reposer entre deux tétées, et se baladait dans la maison avec un couteau. Il jouait à lui faire peur. Par exemple, regardant le bras ballant du bébé qui dormait, il disait : « Je me demande à quoi ça ressemblerait si son bras était cassé ! » Plusieurs fois, en partant de la maison, il a coupé l'électricité pour qu'elle ne puisse pas envoyer de courriels.

Quand elle a voulu aller présenter son bébé à ses collègues de travail, il a essayé de l'en empêcher. Elle est partie quand même et a discuté de la situation avec ses amies.

Le soir, elle n'est pas rentrée chez elle et s'est réfugiée, exténuée, chez une voisine car elle avait peur pour son bébé et pour elle.

Malheureusement, les choses étaient déjà allées trop loin, puisqu'elle a dû être admise à l'hôpital dans un état d'épuisement extrême.

Lorsqu'elle a commencé les démarches pour le divorce, elle a appris que Benjamin demandait la garde de l'enfant « puisque que la mère était folle ».

Dans ce cas clinique, on constate que, vu de l'extérieur, il ne s'est rien passé. Benjamin n'a pas frappé Muriel, il lui a juste fait des reproches et l'a privée de sommeil. Il n'a eu aucun geste envers son enfant, il a juste fait du mauvais esprit. Mais Muriel a eu peur, très peur, au point de tomber malade. Il est vrai qu'elle était vulnérable et qu'elle était très sensible parce qu'elle venait d'accoucher et était maman d'un tout petit bébé.

La violence perverse se caractérise par une hostilité constante et insidieuse.

De l'extérieur, tout semble se passer normalement, comme on vient de le voir. Au départ, une femme est éblouie par un homme séduisant et brillant. Elle pense qu'en se rapprochant de quelqu'un d'aussi grand elle en sera grandie. Elle est prête à tout donner car elle est fascinée.

Mais la tranquillité est vite troublée par la peur qui s'insinue dans son esprit, se transformant progressivement en angoisse. Elle ne comprend pas. Il ne s'est rien passé ou presque. Elle se demande si elle est trop sensible. Elle se le reproche, d'autant que son partenaire dit qu'elle se fait des idées, qu'elle est paranoïaque. Pourtant, par de petites attaques verbales, par des regards de mépris et, surtout, par une distance froide, il semble lui reprocher quelque chose, mais elle ignore quoi. En ne nommant pas ce qui pose problème, il détient un pouvoir sur elle. Il n'est aimable que lorsqu'il a besoin d'elle. Il peut vouloir son argent ou bien son savoir ou encore son carnet d'adresses, si elle a un réseau professionnel très influent. Généralement, à ce stade, la femme préfère se soumettre, espérant trouver ainsi un abri durable.

Puis les attaques se multiplient : phrases cinglantes devant témoins ou en privé, critiques méchantes sur tout ce qu'elle fait ou dit. Elle est isolée. Elle n'ose plus voir ses amis et sa famille, puisque eux aussi sont attaqués. Elle préfère aussi les éviter car elle a honte.

Sans raison, la violence passe à un stade supérieur. Les coups bas et les injures se multiplient ; tout ce que la femme dit est tourné en dérision. Quand elle supplie : « Pourquoi me traites-tu comme ça ? », il ricane : « Regarde-toi, ma pauvre fille, et tu comprendras ! » La femme peut déceler de la haine dans le regard de son partenaire, et tous les coups sont permis, même les plus perfides, comme ici :

> Un jour d'été très chaud, dans un dîner, René a « ironisé » sur la famille de Janine, qui avait la chance d'être au frais. Personne n'a compris l'allusion, sauf elle, car son père venait d'être mis en prison pour faillite frauduleuse. Elle s'est énervée. René a réussi à glisser aux amis qu'il était très inquiet car sa femme était « bizarre » en ce moment. Les amis ont effectivement remarqué que Janine semblait hors d'elle. Elle s'agitait, tremblait, était au bord des larmes.

La violence perverse est un pur concentré de violence. Elle peut s'infiltrer dans l'esprit de l'autre, afin de l'amener à s'autodétruire. Ce mouvement mortifère se poursuit même en dehors de la présence de celui qui l'a mis en place, et il ne s'arrête jamais, même lorsque la femme a décidé de quitter son conjoint violent. Il est même contagieux, c'est un risque majeur ; la victime ou les témoins peuvent se mettre aussi à transgresser, à perdre leurs repères. Nous en reparlerons à propos de l'emprise.

L'EMPRISE

Il n'est pas évident de comprendre que des femmes supportent si longtemps ces situations de violence ou bien déposent une plainte pour la retirer quelques jours plus tard. Même si on connaît bien le processus d'emprise et de conditionnement dans le cas des sectes, quand il s'agit des femmes en couple, les psychanalystes, confondant les causes et les effets, continuent à parler de masochisme : « Il s'agit bien de masochisme, c'est-à-dire d'une recherche active de l'échec et de la souffrance, que sous-tend la nécessité d'assouvir un besoin de châtiment. Une force irréductible pousse ces personnes à souffrir[1]. »

Néanmoins, la plupart des professionnels ont cessé de stigmatiser les femmes victimes de violences conjugales et s'accordent pour dire qu'elles n'ont pas de profil type, qu'on les rencontre dans tous les groupes sociaux et à tous les niveaux socioculturels. « La personne de la femme battue ne présente pas de failles particulières qui la rendraient susceptible de se laisser enfermer dans une relation violente : la

1. Damiani C., *Les Victimes,* Paris, Bayard Editions, 1997.

configuration de la relation suffit à expliquer le piège [1]. »

À défaut de trouver un profil de femmes risquant de devenir victimes, d'autres psychanalystes se sont demandé si certaines femmes ne se mettaient pas en danger inconsciemment, en étant attirées par des machos, des durs, des hommes potentiellement violents. C'est laisser de côté le fait qu'il existe différentes sortes d'hommes violents et que certains ne présentent extérieurement aucune caractéristique de machisme. On peut également admettre qu'une femme peut être séduite par certains types d'homme, sans pour autant accepter leur violence.

Toute femme, quelle que soit sa personnalité ou sa position sociale, peut avoir à subir la violence de son conjoint, mais certains facteurs de vulnérabilité facilitent parfois l'accrochage avec ce type d'hommes et diminuent les défenses de la femme. Parler de vulnérabilité ne signifie pas qu'en raison d'une pathologie une femme attire ou provoque ce genre de situations, mais simplement que, face à ce type d'agressions, certaines d'entre elles vont présenter une moins grande résistance.

L'accrochage se met en place à partir d'une complémentarité psychique des deux protagonistes. Il peut se faire qu'une femme ait été fragilisée par une histoire infantile lourdement chargée, par exemple, par un abus sexuel. Dans ce cas, un partenaire potentiellement violent peut profiter de sa fragilité. Mais

1. Dutton D.G., *The Domestic Assault of Women, Allyn and Bacon, Newton Mass*, 1988.

il arrive aussi qu'une femme, n'ayant pas d'autre vulnérabilité que celle d'être femme, tombe dans le piège, si elle a la malchance de rencontrer un pervers narcissique qui va exploiter n'importe laquelle de ses failles.

La vulnérabilité des femmes est soit d'ordre social, lié à leur position de femme, soit d'ordre psychologique, en lien à leur histoire ou même à leur personnalité, comme nous allons le voir maintenant.

LA VULNÉRABILITÉ DES FEMMES

*L'homme le plus opprimé peut
opprimer un être qui est sa femme.*

Flora Tristan

Leur vulnérabilité sociale

La difficulté qu'ont toutes les femmes à quitter un conjoint violent ne peut être comprise qu'en tenant compte du statut de la femme dans notre société et des rapports de soumission/domination que cela impose. En effet, si des femmes peuvent se laisser piéger dans une relation abusive, c'est parce que, par leur place dans la société, elles sont déjà en position d'infériorité. Ces violences ne seraient pas possibles si leurs conditions objectives n'étaient pas déjà installées par le système social. Malgré une prise de conscience certaine, la violence conjugale continue à sévir, et, sous prétexte de diversité culturelle, dans les cités, on voit même augmenter la violence sexiste : viols, tournantes, mariages forcés, filles sous la surveillance des hommes de la famille qui n'hésitent pas à les châtier si leur comportement n'est pas conforme.

On a assisté, au cours de ce siècle, à des bouleversements importants dans les rapports hommes/femmes, mais les stéréotypes perdurent. Encore maintenant, alors que la parité s'installe progressivement dans la société, on continue à percevoir les hommes comme actifs et dominants et les femmes comme passives et soumises. Les mères contribuent à entretenir ces stéréotypes en élevant leurs garçons pour qu'ils soient forts, courageux, pour qu'ils ne pleurent pas, laissent de côté leur sensibilité et leurs émotions, tandis qu'elles apprennent aux filles à être douces, gentilles, compréhensives, centrées sur les besoins des autres. Sur le plan professionnel, on attribue d'ailleurs aux femmes, en majorité, des rôles de soins. Malgré la contraception, l'avortement, la mission des femmes reste la reproduction de l'espèce et la protection du ménage. Ce n'est pas étonnant que, cantonnées depuis des siècles dans la sphère privée, ces dernières tardent encore à s'affirmer et à mettre fin à leur soumission.

Les stéréotypes de la masculinité et de la féminité sont une invention récente, datant de la révolution industrielle du XVIIIe siècle[1]. Au masculin, on accordait la force, le courage, la volonté d'agir. Le féminin impliquait la douceur, la patience et l'instinct maternel. Le Code Napoléon a entériné cette situation, en privant les femmes de tout droit et en faisant d'elles la propriété de leur mari. Mais, à cette époque, si on pouvait déplorer la violence physique des hommes à l'égard des femmes, la domination était acceptée parce qu'en échange l'homme devait, en principe,

---

1. Mosse G., *L'Image de l'homme, l'invention de la virilité moderne,* Paris, éd. Abbeville, 1997.

apporter sécurité et protection. L'article 213 de l'ancien code civil disait : « Le mari doit protection à son épouse qui, en contrepartie, lui promet obéissance. »

La domination des hommes sur les femmes est repérable au niveau social où persistent des inégalités ou de la discrimination, ainsi que sur le plan des valeurs où tout ce qui relève du féminin est systématiquement dévalorisé. La violence faite aux femmes se traduit de façon différente selon le contexte, mais, au fond, il s'agit du même phénomène. On l'appelle « maltraitance » dans une relation de couple, « agressions sexuelles » de toutes sortes en société et « harcèlement sexuel » dans le monde du travail.

Comme, historiquement, l'homme a toujours été considéré comme le seul détenteur du pouvoir et que la femme a toujours été exclue, cela a conditionné leur mode de pensée, dès le berceau : « C'est comme ça parce que ça a toujours été comme ça ! » Cette représentation sociale, partagée par tous, maintient les stéréotypes malgré l'évolution des mœurs. Les femmes ont ainsi appris à jouer le rôle qui leur a été assigné, même si ce rôle était dévalorisant. On retrouve ce que Pierre Bourdieu a appelé la violence symbolique : « Il [le dominé] prend sur lui-même, sans le savoir, le point de vue du dominant adaptant en quelque sorte, pour s'évaluer, la logique du préjugé défavorable[1]. »

Le discours féministe sur les rapports sociaux de genre peut paraître dépassé car, depuis une cinquan-

---

1. Bourdieu P., *La Domination masculine,* Paris, Seuil, 1998.

taine d'années, les femmes ont acquis plus de pouvoir dans la société, mais ces rôles sexués demeurent pourtant inchangés dans leurs fondements, que ce soit dans le monde du travail ou au niveau familial. On fait toujours porter aux femmes la responsabilité de la réussite du couple et, leur droit au plaisir étant désormais admis, on leur demande aussi d'être libérées sexuellement, séduisantes, séductrices. Les journaux féminins, en particulier ceux destinés aux très jeunes filles, regorgent de conseils pour séduire et combler sexuellement le partenaire.

Cette violence liée au patriarcat et longtemps tolérée a été dénoncée par les féministes dans les années 1970. Elles ont montré que la violence envers les femmes, en renforçant leur dépendance, permet aux hommes de continuer à exercer leur contrôle et leur autorité. Elles ont créé des réseaux de solidarité, ouvert des structures d'accueil et d'hébergement, écrit et proposé des modifications de loi. Elles ont aussi aidé les femmes à déposer plainte et sont intervenues pour que les ministères de la Justice successifs, les médias puis le grand public suivent. Au départ, on parlait de *femmes battues* car il fallait parer au plus urgent et au plus visible, c'est-à-dire la violence physique. Le terme de *maltraitance* a été ensuite introduit afin de bien montrer qu'il n'y avait pas que les coups. Dans les pays anglo-saxons, on utilise le terme *domestic violence* (violence domestique), mais, arguant du fait que toutes les agressions faites aux femmes n'ont pas lieu sous le toit familial, certaines féministes réfutent ce terme, pour préférer celui de violence sexiste ou de violence de genre. D'ailleurs, l'Espagne vient d'adopter la *loi intégrale contre la violence de genre.*

J'ai choisi, quant à moi, d'utiliser le terme de *violence de couple,* car, au-delà du fait culturel lié à la position des femmes dans la société, il s'agit d'une violence intime, liée à la proximité affective. L'un des partenaires, quel que soit son sexe, tente ainsi d'imposer son pouvoir par la force.

Même si actuellement le féminisme est dépassé en tant que mouvement politique, il a eu un impact considérable dans les mentalités et a eu le mérite de rendre visibles certaines situations. Cependant, un discours féministe trop caricatural peut trouver des opposants au sein même des femmes victimes de violences, qui ne s'y reconnaissent pas. Ce discours a également été caricaturé par certaines féministes radicales qui « ont la haine » des hommes. Dans la réalité, ce qui importe, c'est que les femmes soient traitées à égalité dans le couple et dans la société et qu'elles soient respectées.

Face à des comportements de soumission des femmes, certaines féministes peuvent avoir la tentation d'imposer leurs normes, à savoir : « Les femmes doivent se révolter contre le pouvoir des hommes. » Ce faisant, il s'agit d'une autre forme de prise de pouvoir, une façon de dire : « Je sais mieux que toi ce qui est bon pour toi », c'est infantiliser à nouveau ces femmes violentées. Il est plus pertinent d'analyser avec elles ce qui les maintient dans cette situation, ce qui les pousse à tolérer l'intolérable ; c'est ce que je vais m'efforcer de faire.

Comme la plupart des études concernant la violence faite aux femmes ont été réalisées par des féministes ou des bénévoles d'associations, elles se placent uniquement du point de vue de la femme victime. N'ayant pas accès aux hommes violents, elles tendent à les mettre tous dans un même groupe. Or, il existe différents types d'hommes violents, mais, étant donné que ceux-ci consultent rarement spontanément, nous avons peu d'occasions de les rencontrer, si ce n'est par l'intermédiaire de la justice, une fois qu'ils sont passés à l'acte.

Il ne sert à rien de creuser encore plus le fossé entre les sexes et de considérer toute la population masculine comme potentiellement violente. Il serait plus utile de lutter contre les mentalités sexistes des hommes et des femmes, et d'apprendre aux femmes à repérer les premiers signes de violence et à les dénoncer.

En France, le féminisme est actuellement violemment attaqué par certains intellectuels. Par exemple, Élisabeth Badinder, dans son livre *Fausse Route*[1], reproche aux mouvements féministes de diffuser dans la société une idéologie « victimiste », au mépris des progrès réels de la condition des femmes, et d'humilier ainsi les hommes, en les faisant passer pour des bourreaux. Elle reproche, en particulier, à l'enquête ENVEFF sur les violences domestiques de ne pas avoir distingué les agressions physiques de la violence psychologique. Elle s'étonne de la passivité des femmes qui pourraient échapper à leur bourreau mais ne le font pas. En cela, elle semble méconnaître l'importance de l'emprise qui paralyse ces femmes et les empêche de comprendre ce qu'elles vivent et d'y réagir. Pourtant, Élisabeth Badinter admet que les hommes battus, parce qu'ils ont honte, ont une propension à tout dissimuler et à se laisser couler.

1. Badinter E., *Fausse route,* Paris, Odile Jacob, 2003.

Elle reconnaît que, si ces hommes ne réagissent pas, c'est qu'ils espèrent longtemps que leur situation va s'arranger. Est-ce qu'à vouloir dénoncer les abus d'un féminisme outrancier, qui place systématiquement les femmes en victimes de la domination masculine, Élisabeth Badinter n'en viendrait pas à retourner l'argument et à faire de ces pauvres hommes des victimes, renforçant ainsi l'antagonisme des sexes ?

Si elle pense qu'on a eu raison de sanctionner le harcèlement moral ou sexuel des petits chefs, elle pense aussi qu'on aurait mieux fait d'apprendre aux femmes à se défendre elles-mêmes. Cela ne l'empêche pas de dénoncer, dans le même ouvrage, la violence réactive des femmes qui agressent l'homme pour se défendre. On s'étonne d'une position si virulente car, à trop vouloir défendre les hommes contre les femmes, Élisabeth Badinter rejoint ce que, justement, elle voulait dénoncer, c'est-à-dire enfermer hommes et femmes dans des camps opposés.

D'autres, comme la juriste Marcela Jacub et le démographe Hervé Le Bras, dans un article publié dans *Les Temps modernes,* relayé par *L'Express* le 24 avril 2003, confondant violence et agression, déplorent « le continuum établi entre pressions psychologiques et physiques », ce qui revient à nier la gravité de la violence psychologique.

On peut espérer que ces réactions resteront isolées car, ailleurs en Europe, on s'étonne du discours retardataire de ces intellectuels français.

Il ne faut pas oublier non plus que, si le patriarcat a rendu les hommes dominateurs, il a aussi amené les femmes à être passives et résignées. L'accession à l'état de sujet leur est difficile. Certes, le féminisme a bousculé cette attitude passive, mais les mères continuent à dire à leurs fils : « Défends-toi ! Ne te laisse pas faire ! », tandis qu'elles disent à leurs filles : « Sois gentille, il faut comprendre ! » À une femme qui se plaint de la violence verbale de son compagnon, il n'est pas rare que l'entourage conseille d'être un peu plus gentille ou sexy, sous-entendu : « S'il est comme ça, c'est qu'il n'a pas son content de sexe et de fantaisie. » Les journaux féminins, malgré quelques prises de position féministes, continuent à véhiculer des images de femmes fragiles, futiles, qui doivent réparer, panser les blessures affectives du partenaire, veiller à l'harmonie du foyer. Ils peuvent aussi, utilisant le stéréotype masculin, inciter les femmes à des comportements virils : « Changez de mec ! », « Jouissez sans entraves ! »

Il n'est pas étonnant que certaines femmes considèrent qu'il est normal qu'elles soient « punies », si elles n'y parviennent pas. Elles considèrent parfois que la violence fait partie des choses « pas marrantes » mais inévitables de la vie. Elles apprennent à contrôler leur peur, pensent que les agressions des hommes sont un danger comme un autre dont il faut apprendre à se protéger. D'ailleurs, leur mère les avait prévenues, quand elles étaient plus jeunes, « Ne te laisse pas aborder par les étrangers ! Ne te laisse pas faire par les garçons ! »

On éduque les filles d'un côté à attendre le prince charmant et d'un autre côté on les met en garde contre tous les autres hommes. Devenues femmes, elles n'ont pas appris à faire confiance à leur ressenti et à filtrer les vrais dangers. En cas d'agression, elles doutent de leur propre perception de la réalité, il arrive même qu'elles ne mentionnent pas l'agression qu'elles ont subie, de peur d'être ridiculisées ou encore plus culpabilisées.

Bien sûr, se conformer aux rôles traditionnellement dévolus aux femmes apporte certains bénéfices. En s'identifiant à des femmes fragiles, émotives, elles sont certes dépendantes des hommes, mais se sentent également protégées par eux. Au moment d'envisager une séparation, elles auront peur de se retrouver seules avec les enfants et elles diront tout simplement : « C'est plus facile de rester que de partir ! »

> Je préfère vivre avec lui, même s'il ne m'aime pas et me le fait payer tous les jours, plutôt que de faire un trait sur six ans de vie de couple et d'avoir à recommencer autre chose.

La difficulté à s'affirmer des femmes peut être une trace de ce passé pas si lointain, où celles-ci devaient taire leurs désirs pour être conformes aux attentes de la société. La féminité consiste encore, pour beaucoup de jeunes filles, à être attirantes sur le plan physique, agréables, douces et attentives aux besoins des autres, et elles l'expriment par la soumission, la dépendance, la fragilité. Il leur faut être séduisantes, mais pas trop, car sinon elles pourraient passer pour provocantes et, si le garçon se montre violent, on pourrait dire qu'elles l'ont cherché.

Les femmes se forgent un « moi idéal » en fonction des normes sociales véhiculées par leur famille et par la société. C'est ainsi que certaines, suivant le modèle de la mère disponible et dévouée, pensent que, pour garder un homme, il faut montrer de l'abnégation et de la soumission. Ayant appris très jeunes que, pour mériter l'amour des parents, il leur fallait être utiles et faire passer le bonheur des autres avant le leur, elles en font trop pour l'autre et s'autorisent peu à satisfaire leurs propres besoins.

Comme socialement les femmes sont tenues pour responsables de la réussite du couple, si leur conjoint dérape dans la violence, elles se sentiront en échec. Elles auront honte de ne pas être capables de changer la situation, honte de se laisser traiter ainsi, honte d'être, aux yeux du monde extérieur, incapables de satisfaire leur conjoint, incapables de créer un foyer heureux.

> Après une scène violente où il m'avait cassé le nez, sur les conseils de la police, j'ai demandé à mon mari de partir. Le lendemain matin, en conduisant les enfants à l'école, je l'ai trouvé couché devant ma porte. Il avait dormi sur le palier. Il m'a suppliée de le laisser entrer : « Je ne peux pas aller travailler comme ça, il faut que je me lave ! » J'avais honte et j'étais culpabilisée, je l'ai laissé entrer.

La honte va empêcher les femmes de révéler la situation et donc constituera un obstacle supplémentaire pour y mettre fin.

Dans tous les cas, il s'agit de se conformer à un modèle et à mettre de côté son ressenti propre.

Leur vulnérabilité psychologique

Est-ce du masochisme ?

Face à la difficulté qu'ils ont à aider les femmes victimes de violence conjugale, certains psychanalystes attribuent ce blocage à leur masochisme.

Selon le discours freudien, le masochisme féminin serait propre à l'être de la femme[1], et en liaison avec sa passivité. Or, si on relit Sacher-Masoch, le sadomasochisme n'est absolument pas basé sur la passivité. En effet, dans ce type de relation, c'est le masochiste lui-même qui, au-delà des apparences, exerce un pouvoir sur son partenaire sadique, en donnant en quelque sorte la règle du jeu ; dans le sado-masochisme, les atteintes corporelles sont limitées, codifiées, acceptées. Les deux partenaires choisissent ce mode de relation dominant/dominé et en fixent conjointement les règles. Ce n'est absolument pas le cas d'une femme qui subit dans son couple une violence qu'elle n'a aucunement choisie.

Parce que beaucoup de femmes victimes dans leur couple ont subi de la violence dans leur enfance, ces mêmes psychanalystes considèrent que ces femmes éprouveraient « une satisfaction d'ordre masochiste à être un objet de sévices et qu'elles retrouveraient ainsi sous les coups de leur conjoint un "plaisir" de proximité avec le corps du parent violent[2] ». En s'exprimant ainsi, ils donnent du grain à moudre au conjoint violent et ne font qu'emprisonner, encore plus, les femmes dans une relation mortifère.

Selon eux, par des mécanismes de répétition, une personne tend à reproduire le modèle de couple que formaient ses parents car elle en a gardé une nostalgie inconsciente. Effectivement, les études prouvent

1. Freud S., *Le Problème économique du masochisme,* OC, t. XVII, Paris, PUF, 1924.
2. *Le Nouvel Observateur,* n° 2099 du 27 janvier au 2 février 2005.

que les femmes qui ont subi de la maltraitance physique ou morale dans leur enfance ont un risque plus grand de se trouver, à leur tour, victimes de violence conjugale. Selon l'enquête ENVEFF, la proportion de femmes qui avaient été victimes de violences au cours des douze derniers mois est quatre fois plus élevée chez celles ayant subi des sévices dans leur enfance.

> Ève a connu la violence de ses parents quand elle était petite. Entre eux, il n'y avait aucune harmonie. C'était le conflit permanent : « J'étais souvent réveillée, la nuit, par des cris et des bagarres, et, pour moi, c'est devenu un mode de fonctionnement normal. Quand on a rencontré la violence pendant l'enfance, *c'est comme une langue maternelle qu'on vous a apprise*[1]. »

Parce qu'un traumatisme antérieur leur a fait perdre leurs défenses, ces femmes savent moins bien que d'autres se protéger et réagir à temps ; elles sont, en quelque sorte, fragilisées. Est-ce du masochisme ou est-ce une conséquence beaucoup plus physiologique du traumatisme qu'elles ont subi ?

De la même façon, des études américaines ont montré que le fait d'avoir grandi dans un contexte où le père était violent envers la mère augmente la probabilité d'être violent si on est un garçon, et de devenir victime d'un homme violent si on est une

---

1. Mis en italique par l'auteur.

fille. Est-ce du sadisme pour le garçon et du masochisme pour la fille, ou est-ce de l'apprentissage ?

On peut penser que ces enfants ont appris, par
imitation, que la violence était normale dans une vie
de couple. On explique cette fragilité liée à des traumatismes passés par le fait qu'un conditionnement à
la violence dès l'enfance prédispose à une dépendance du même type dans la vie. Le nouveau conditionnement vient se substituer à l'ancien. Nous en
parlerons plus en détail un peu plus loin.

Il apparaît, de façon claire, que tous les modèles
explicatifs se rejoignent pour mettre en avant la gravité du phénomène et montrer son pouvoir destructeur. Tous les spécialistes sont d'accord pour dire
qu'un traumatisme passé a préparé le terrain et que,
derrière le persécuteur actuel, se cache souvent un
autre persécuteur dans l'enfance. Pourtant, si on ne
parle que de la fragilité de la victime, en oubliant la
destructivité du partenaire, et si on se contente d'évoquer le masochisme de la femme, alors qu'elle est
engluée dans une relation douloureuse, on ne fait
qu'aggraver la culpabilité de celle-ci et resserrer
encore plus l'emprise qui pèse sur elle.

Il faut faire attention et ne pas en arriver à dire
que c'est la victime qui crée le bourreau.

Problématiques psychiques complémentaires

Le choix amoureux se fait généralement à partir
de problématiques psychiques complémentaires.

Une femme ayant un fort besoin d'aider, de réparer, peut choisir un partenaire qui aura besoin qu'on
s'occupe beaucoup de lui, qu'on le cajole. De la
même façon, un homme ayant besoin de dominer
saura choisir une jeune femme immature qui lui

paraîtra soumise et dépendante. Il s'agit pour chacun, dans ce choix, de maintenir son équilibre interne, de lutter contre ses angoisses.

Une dépendance au partenaire peut être acceptable, s'il existe un échange, une réciprocité, un respect. Mais il faut se méfier des mots à double sens ; c'est ainsi que « s'abandonner » peut signifier se lâcher en toute confiance, par exemple dans l'acte sexuel, mais cela peut signifier aussi capituler devant la volonté de l'autre.

Que ce soit pour des raisons socioculturelles, liées à leur statut de femmes, comme nous venons de le voir, ou pour des raisons familiales, par exemple une carence affective de l'enfance, de nombreuses femmes ont si peu d'estime d'elles-mêmes qu'elles se placent d'emblée dans la soumission. Pour elles, la violence est une fatalité, elles pensent que c'est leur destin et qu'il n'y a pas d'autre solution. Ayant été rejetées ou maltraitées dans l'enfance, elles pensent qu'elles ne pourront aimer que des hommes difficiles. D'autres, n'ayant pas reçu de sécurité affective de leurs parents, ne se pensent pas dignes d'être aimées, et seront prêtes à tous les renoncements pour avoir droit à un peu de bonheur. D'autres enfin, ayant eu une mère peu affectueuse ou infantile, ont appris très tôt qu'il leur fallait se montrer « réparatrices » pour mériter l'amour de quelqu'un que l'on aime.

> La mère de Carole était une femme-enfant, toujours fatiguée ou malade, toujours dans la plainte. Incapable de prendre une décision, elle ne gérait pas la maison et laissait ses enfants se débrouiller tout seuls.

Elle était parfois irritable ou même agressive, mais on l'excusait parce qu'elle était fragile, qu'elle avait parfois des migraines. Du plus loin qu'elle s'en souvienne, Carole a toujours entendu son père lui dire : « Fais bien attention à ta mère, ne la fatigue pas ! » En rencontrant Charles, Carole s'est réjouie de trouver enfin un homme solide. Elle était dans le doute, lui savait toujours ce qu'il fallait faire.

Très vite, il s'est mis à critiquer son physique, sa conversation, à la disqualifier en toutes circonstances, et à diriger la maison de façon tyrannique. Il justifiait sa mauvaise humeur par des maux de tête quasi permanents.

Jamais il n'était satisfait d'elle, sauf quand il était malade et qu'elle le maternait.

C'est ainsi que les femmes se montrent trop tolérantes et ne savent pas mettre des limites aux comportements abusifs de leur compagnon. Elles ne savent pas dire ce qui est acceptable pour elles et ce qui ne l'est pas. Pour ne pas le stigmatiser, elles lui cherchent des excuses, elles espèrent l'aider à changer.

D'autres fois, des femmes n'ayant pas confiance en elles vont chercher à se valoriser dans le regard de l'autre. Il leur faut être irréprochables, gentilles, tolérantes. Elles ne se sentent exister que quand on a besoin d'elles. Elles vivent à travers ceux qu'elles veulent réparer et à qui elles veulent tout donner. Elles en font trop, se souciant des autres plus que d'elles-mêmes. Dans leur « générosité », elles mettent un point d'honneur à ne jamais rien demander, à tout comprendre et à tout pardonner. À défaut d'avoir un pouvoir officiel, elles se placent ainsi dans la toute-puissance.

Un équilibre peut être trouvé, tant que le partenaire manifeste sa reconnaissance pour tout ce qui est fait pour lui. Mais, pour peu qu'il se montre ingrat ou indifférent, la femme trop maternante risque de se sentir rejetée et de réclamer plus d'affection. Submergé par cette demande, l'homme peut réagir de manière violente. Nous verrons que les hommes ont souvent une problématique inverse de celle des femmes ; à l'impuissance apprise de ces dernières correspond leur *puissance apprise,* on attend d'eux qu'ils soient omnipotents, mais ils souffrent de ne pas se sentir à la hauteur.

Les hommes violents savent bien repérer le côté réparateur d'une femme et s'en servir pour justifier leurs dérapages de comportement. Certains d'entre eux, particulièrement manipulateurs, vont d'emblée solliciter les instincts protecteurs d'une femme pour la séduire. Ils vont se plaindre de leur histoire infantile (ma mère ne m'a jamais aimé, j'ai eu une enfance difficile), de leur précédente compagne (c'était une mégère), de leur travail (on ne m'accorde pas les responsabilités que je mérite).

POURQUOI
ELLES NE PARTENT PAS

*Le pouvoir est d'infliger des souffrances et des humiliations.
Le pouvoir est de déchirer l'esprit humain en morceaux.*

George Orwell, *1984*

Un conjoint potentiellement violent et, à plus
forte raison, un individu particulièrement manipulateur sauront repérer chez l'autre la faille ou la vulnérabilité qui permettra l' « accrochage », c'est-à-
dire la mise en place d'un processus d'emprise.
Celui-ci se maintiendra non par la personnalité de
la femme, mais par la configuration de la relation
elle-même.

Les professionnels qui ont encouragé une femme
à quitter son conjoint maltraitant s'irritent souvent
de voir celle-ci retourner auprès de lui et les explications qu'ils donnent, dans leur effort pour la responsabiliser, la culpabilisent encore plus. On oublie que,
si les coups ont été possibles, c'est que, dès le début
de la relation, le terrain a été préparé, les défenses
de la femme levées.

Pour mieux comprendre jusqu'où peut aller l'emprise, voyons l'histoire de Lucie.

Lucie, une femme sous emprise

Lucie, jolie femme, gaie, optimiste, professionnellement irréprochable, est mariée depuis vingt ans et a deux enfants. Elle retrouve, par hasard, Julien, son premier amour, qui l'avait quittée jadis brutalement et sans explication. Il tente à nouveau de la séduire.

Au départ, Lucie résiste, cependant, à la suite d'un long siège, elle finit par accepter une liaison qu'elle vit dans la culpabilité. Vont alterner ensuite des ruptures brutales, suivies d'un temps de silence, puis de tentatives de reconquête de Lucie. À chaque rupture, le scénario est le même : Julien lui téléphone en boucle sur ses différents téléphones, débarque à son bureau, fait le siège de son domicile, la guette sur ses trajets, lui offre des bijoux et de la lingerie, jusqu'à ce qu'elle finisse par céder. Chaque fois, Lucie s'attribue l'origine de la crise et se demande ce qu'elle a pu faire pour provoquer le rejet de Julien.

Après quelque temps, Julien téléphone au mari de Lucie et à ses amis, afin d'officialiser leur relation. Il ira même jusqu'à faire du chantage auprès du mari, afin qu'il demande le divorce. Lucie est très attachée à cet homme et hésite à divorcer.

Quand Lucie s'éloignait, elle se rendait compte des mensonges de Julien, de sa mauvaise foi, de son irresponsabilité, mais, dès qu'il apparaissait, elle oubliait tout, pardonnait tout et retournait docilement avec lui.

Au fur et à mesure de cette relation insatisfaisante, Lucie va perdre pied, se déliter. Ses repères s'estomperont et elle sera envahie par un doute incessant sur ses perceptions, son ressenti, ses capacités intellectuelles et sa séduction. Elle va sombrer dans un état d'angoisse permanent, puis présenter un état dépressif qui nécessitera une hospitalisation. À sa sortie de clinique, elle tiendra bon un certain temps pour ne pas revoir Julien, mais, devant ses suppliques réitérées, elle finira par accepter de l'épouser.

Le mariage entraînera un changement radical d'attitude de Julien, comme si, paradoxalement, l'officialisation de la relation annonçait la fin de la relation. Dès le lendemain, Julien annule le voyage de noces prévu, puis il se met à rudoyer Lucie : il la traite de garce ou de salope, la giflant, lui donnant des coups de pied. Un peu plus tard, il lui annonce qu'il achète une maison pour eux deux, mais, alors qu'elle vient juste de résilier son bail, il lui fait savoir qu'il ne veut pas qu'elle vienne habiter avec lui. À peine mariée, elle se retrouve donc sans logement. Par chance, elle réussit à récupérer son ancien appartement, mais, comme il a la clé, à plusieurs reprises elle le retrouve la nuit dans son salon, l'attendant dans le noir.

Dès lors, il a joué régulièrement à lui faire peur. Il la surveille, il la guette. C'est ainsi que, quand elle a voulu se réfugier dans une petite maison de campagne, elle a retrouvé les fils de l'alarme coupés et la batterie de la voiture enlevée. Elle apprend par des voisins qu'il était passé peu avant.

Les amis de Lucie, qui observent son changement, ne comprennent pas comment elle a pu se laisser entraîner dans cette folie. Ils lui conseillent tous de divorcer, mais elle ne réussit plus à discriminer ce qui est bon pour elle et ce qui est dangereux. Étant entièrement absorbée par cette relation pathologique, elle se met également en difficulté sur le plan professionnel et perd finalement son emploi. Elle n'a plus d'argent et, comme Julien ne lui en donne pas, c'est son ex-mari qui doit l'aider financièrement.

Après quelques mois de mariage où elle ne vit pas avec Julien, sous la pression de ses amis, Lucie se résout à demander le divorce, mais elle est épuisée physiquement et psychologiquement, et a perdu complètement confiance en elle. Elle ne comprend toujours pas comment elle a pu se laisser manœuvrer de la sorte. Elle a honte et continue à se culpabiliser. Elle doute encore qu'un homme ayant un haut niveau de responsabilités sur le plan professionnel puisse être perturbé au point de vouloir la détruire.

À travers cet exemple clinique, nous voyons comment l'alternance de séduction et d'agression ainsi que l'extrême imprévisibilité du comportement de Julien paralysent Lucie. Au départ, elle résiste, mais, petit à petit, elle s'épuise. Lorsque Julien fait intrusion dans sa vie privée en téléphonant à son mari, une brèche est ouverte. Julie est sous emprise.

Après le mariage, pourtant voulu par Julien, la séduction, nécessaire pour mettre en place cette relation, s'est transformée en violence visible. Il fallait attirer Lucie pour qu'elle se rapproche, mais trop de proximité est insupportable pour Julien, Lucie doit donc être détruite ou, plus exactement, il faut l'amener à s'autodétruire.

Comprendre

Une difficile prise de conscience

Si les femmes acceptent de subir de tels comportements, c'est parce que les agressions physiques n'arrivent pas brusquement, « comme un coup de tonnerre dans un ciel serein », mais sont introduites par des microviolences, une série de paroles de disqualification, de petites attaques verbales ou non verbales qui se transforment en harcèlement moral, diminuent leur résistance et les empêchent de réagir. La domination et la jalousie sont d'abord acceptées comme preuve d'amour.

> Comment ai-je pu accepter ça ? Je ne me rendais pas compte que c'était inadmissible. Je me suis plusieurs fois révoltée intérieurement, mais je n'ai jamais rien dit. À chaque insulte il aurait fallu que je dise : « Je n'accepte pas que tu me parles comme ça », mais, au lieu de ça, il y avait un gouffre qui s'ouvrait sous mes pieds.

Petit à petit, elles vont perdre tout esprit critique et vont « s'habituer ». Progressivement aussi, le compagnon passera de certains gestes ou certaines attitudes pas franchement hostiles à une violence identifiable, et la femme qui subit va continuer à considérer tout cela comme normal. Au fur et à mesure qu'augmentent la sévérité et la fréquence de la violence psychologique puis physique, la femme perd confiance en elle. Elle est déstabilisée, angoissée, isolée, confuse, et devient de moins en moins capable de prendre une décision.

On pourrait dire que la violence n'existe pas tant qu'elle n'est pas nommée, et beaucoup de femmes violentées ne savent pas qu'elles le sont.

> Tant qu'elle ne mettait pas des mots sur la situation, elle se disait simplement que c'était une situation pénible, difficile à vivre.

Pour que des coups et, à plus forte raison, des propos soient qualifiés de violents, il faut qu'ils paraissent intentionnels. La plupart du temps, les femmes ne mesurent la violence qu'en fonction de la douleur ressentie et de l'intentionnalité. C'est ainsi que, même si elle est blessée, une femme ne considérera pas une bousculade ayant entraîné sa chute comme étant de la violence, car le partenaire ne l'aura pas fait exprès.

De nos jours, les femmes sont conscientes que la violence physique n'est pas acceptable, mais elles le sont bien moins en ce qui concerne la violence psychologique. Tant qu'il y a un équilibre entre contrôle, dénigrement et gentillesse, c'est supportable. La femme se dit que sa perception de la réalité est fausse, que c'est elle qui ressent mal les choses, qu'elle exagère. Elle finit par douter de son ressenti et il faut parfois qu'un autre témoignage vienne confirmer ce qu'elle n'ose se dire.

> Après la séparation, Nadia a pris contact avec l'ancienne femme de Gilles, qui lui a avoué avoir subi les mêmes violences qu'elle. Pendant des années, elle a été battue, trompée, insultée. Contrairement à ce que Gilles avait dit à Nadia, ce n'était pas lui qui était parti, mais c'est sa femme qui avait pris la fuite après une scène trop violente et des menaces de mort. Elle a avoué à Nadia qu'elle avait mis dix ans à s'en remettre.

De la domination à la violence

La violence n'apparaît pas tout d'un coup, mais un passage progressif se fait de la domination à la violence.

En voici un exemple :

> Sophie vit avec Yves depuis près de vingt ans. Il est plus âgé qu'elle de dix ans. Lors de leur rencontre, il avait un bon métier, tandis qu'elle faisait simplement des petits boulots. Il lui a tout appris, dit-elle, la sexualité et aussi les choses de la vie quotidienne. Elle a progressé. Mais, au fur et à mesure qu'elle s'épanouissait, Yves devenait plus jaloux. Elle était trop bien habillée, trop joyeuse, trop insouciante.
> Après quelques années, Yves perd son travail, et comme, entre-temps, Sophie a trouvé un emploi de secrétaire, elle gagne désormais seule l'argent du ménage ; Yves reste à

la maison. Il est particulièrement jaloux et vérifie tous les faits et gestes de Sophie. Elle doit téléphoner quand elle arrive à son travail, pour dire qu'elle est bien arrivée, et avant de le quitter, de crainte qu'elle ne traîne en route et n'ait la tentation de rencontrer un autre homme. Quand elle rentre le soir, elle doit s'occuper de la maison et préparer le repas.

Sophie n'a pas le droit de voir sa famille ni de recevoir des amis. Si elle téléphone, Yves doit savoir qui elle veut joindre.

Si je pose la question : « Est-ce de la violence ? », je ne serais pas surprise de recevoir des réponses variées. Certains diront : « Incontestablement, oui. Il faut lui dire de partir ! » D'autres diront : « Elle aime ça, c'est du masochisme ! » D'autres encore : « Il est macho, mais elle n'a pas l'air de s'en plaindre. »

À ce stade, rien n'est sûr, mais, si je continue le récit, les choses se précisent :

À plusieurs reprises, Sophie a voulu partir, mais chaque fois Yves s'est montré violent physiquement et a menacé de se suicider. La dernière fois, il l'a rattrapée dans l'escalier, l'a frappée et a versé de l'eau de Javel sur le contenu de sa valise.

« Yves dit que, sans lui, je ne réussirai rien. Je n'ai jamais vécu seule, est-ce que je réussirai à me débrouiller ? »

Si Sophie consulte, c'est pour sortir de cette situation, mais elle craint de faire du mal à Yves en changeant les choses. Ils sont dépendants l'un de l'autre,

Sophie affectivement et Yves matériellement. Tout changement de Sophie mettrait Yves en danger, il lui faut donc la contrôler.

La mise en place de l'emprise

Le processus d'emprise se déroule en deux temps : cela commence par la séduction, puis, si la femme résiste, l'homme use de procédés violents de plus en plus manifestes.

La phase de séduction donne l'illusion d'un échange affectif. L'autre est accroché par ce qui ressemble à un amour idyllique. Les femmes parlent souvent d'un amour idéal, d'un prince charmant. On retrouvera cet amour intense, que les Anglo-Saxons appellent *love bombing* (littéralement « bombardement d'amour »), lors de la phase de lune de miel de la violence cyclique. Cette séduction vise les instincts protecteurs de la femme ; l'homme se présente comme une victime d'une enfance malheureuse ou bien d'un divorce malheureux. Il ne s'agit pas d'une séduction amoureuse, réciproque, mais d'une séduction narcissique destinée à fasciner l'autre et, en même temps, à le paralyser.

Cette phase de séduction est en même temps une phase de préparation psychologique à la soumission ou, comme a pu le dire le psychanalyste Racamier[1], de « décervelage ». La femme est déstabilisée et perd progressivement confiance en elle. Même si sa liberté s'érode petit à petit, elle continue à croire

---

1. Racamier P.-C., « Pensée perverse et décervelage », in « Secrets de famille et pensée perverse », *Gruppo* n° 8, Paris, éditions Apsygée, 1992.

qu'elle est libre et que l'homme ne lui impose rien. Pourtant, par des microviolences ou de l'intimidation, elle est progressivement privée de tout libre arbitre et de tout regard critique sur sa situation. Elle est dans le flou et l'incertitude, réduite à la soumission, empêchée de discuter ou de résister, et elle finit par considérer comme normale la façon dont elle est traitée.

La relation d'emprise bloque la femme et l'empêche d'évoluer et de comprendre. L'homme violent neutralise le désir de sa compagne, réduit ou annule son altérité pour la transformer en objet. Il s'attaque à sa pensée, induit le doute sur ce qu'elle dit ou ressent et, en même temps, fait en sorte que l'entourage cautionne cette disqualification.

L'emprise empêche la femme de se révolter contre l'abus qu'elle subit, la rend obéissante et l'incite à protéger son agresseur et à l'absoudre de toute violence. Pour reprendre l'expression de Shengold[1] parlant des enfants abusés sexuellement, « son âme devient esclave de l'autre ».

> Il me disait que j'étais nulle, mauvaise, et que je méritais d'être corrigée. Je pensais qu'il avait sans doute raison, que je n'étais pas assez bonne, puisque je n'arrivais pas à l'apaiser.

Par ce processus, l'homme ne cherche pas, au départ, à détruire sa compagne, mais à la soumettre petit à petit et à la garder à sa disposition. Il s'agit

---

1. Shengold L., *Meurtre d'âme, le destin des enfants maltraités*, Paris, Calmann-Lévy, 1998.

de la dominer et de la contrôler, afin qu'elle ne soit qu'un objet et qu'elle reste à sa place d'objet. La destruction ne viendra qu'après, par des stratégies douces comme la persuasion, la séduction et la manipulation, et par des stratégies plus directes de domination, comme la coercition.

Ces procédés, que nous décrivons ici dans les couples, ont été étudiés à propos des victimes des sectes. Dans l'un et l'autre cas, trois étapes sont nécessaires pour parvenir à cette modification de conscience :

• Une étape d'effraction, qui consiste à pénétrer dans le territoire psychique de l'autre, à brouiller ses limites, à « coloniser » son esprit. L'agresseur pense pour l'autre, sans tenir compte de lui : « Même si tu dis le contraire, je sais que tu aimes ça. » Comme nous l'avons vu, l'effraction peut aussi se traduire par une agression physique, on entre dans le corps de l'autre. C'est comme s'il n'y avait plus de frontière entre l'homme violent et sa compagne : il va penser *en* elle ; c'est comme si elle hébergeait un *alien* à l'intérieur d'elle-même. Cette intrusion se manifeste de différentes manières : on surveille son emploi du temps, dévoile ses secrets, met au jour son intimité, envahit sa pensée, etc.

• À l'étape suivante, on capte l'attention et on gagne la confiance de la personne, afin de la priver de son libre arbitre, sans qu'elle en ait conscience. C'est le lavage de cerveau. Il s'agit de la ferrer, comme on ferre un poisson, et de lui ôter toute capacité de résistance. Cela se traduit par des regards ou des attitudes qui annoncent les passages à l'acte violents, eux-mêmes suivis de messages rassurants, pour banaliser ce qui vient d'être vécu.

• Enfin, une phase de programmation permet de maintenir cette influence néfaste sur l'autre, même quand on n'est pas présent. La personne sous emprise obéit à l'injonction, sans pour cela intégrer totalement l'information. Elle est, en quelque sorte, téléguidée par un *Big Brother,* comme dans l'ouvrage d'Orwell[1]. Il s'agit de la conditionner, pour avoir la mainmise sur elle à tout moment.

La personne est ainsi « programmée ». Il suffit ensuite d'activer chez elle tel ou tel comportement, pour qu'elle agisse comme on l'entend. C'est ainsi qu'en réactivant chez la partenaire des images d'isolement, de solitude, on ravive chez elle des peurs ancestrales.

Le conditionnement des victimes

Un certain nombre de procédés, qui s'apparentent aux techniques de conditionnement utilisées sur des prisonniers ou des otages, permet d'arriver au but, sans que la femme se révolte.

Le lavage de cerveau

La mise sous emprise correspond au lavage de cerveau, appelé aussi *persuasion coercitive,* terme que l'on utilise d'habitude pour décrire les manipulations exercées sur un adepte dans les sectes.

Ce processus a été décrit, pour la première fois, par un psychiatre américain, Robert Jay Lifton, à pro-

---

1. . Orwell G., *1984,* Folio, 1981.

pos des récits de prisonniers de guerre américains en Chine et en Corée. La technique utilisée n'était pas nouvelle, mais les communistes chinois y avaient apporté un caractère plus organisé, plus délibéré, afin de provoquer, chez les prisonniers, un bouleversement personnel décisif, visant à changer leur personnalité et donc à modifier leur position par rapport à la société.

Il ne faut pas croire que ces techniques ne s'appliquent qu'aux personnes fragiles ou prédisposées à la fragilité. Selon Virginia A. Sadock[1], « toutes les personnes sont vulnérables au lavage de cerveau, si elles y sont exposées durant un temps suffisamment long, si elles sont seules et sans appuis et si elles n'ont aucun espoir de sortir de cette situation ».

Les procédés de violence psychologique, dont nous avons parlé au début du livre, correspondent exactement aux techniques de lavage de cerveau décrites à propos des sectes. L'action coercitive est à la fois physique et psychologique. On peut rapprocher les techniques utilisées dans les sectes de ce qui se passe au niveau d'une relation de couple. On retrouve :

— *les techniques comportementales,* qui consistent à isoler la personne (de sa famille, de ses amis, de son travail), contrôler l'information qu'elle reçoit (par exemple, surveillance de son téléphone), la mettre dans un état de dépendance économique et enfin la fragiliser physiquement et psychologiquement ;

1. Cité par Antonio Escudero Nafs dans sa thèse : *Factores que influyen en la prolongacion de una situación de maltrato a la mujer : un análisis cualitativo.*

— les techniques de type émotionnel, qui correspondent à la manipulation verbale et au chantage. Nous verrons plus en détail par la suite que les arguments utilisés par les hommes abuseurs varient selon leur profil psychologique. D'une façon générale, ces hommes réussissent à influencer leur femme en mettant en avant soit leurs sentiments (l'amour), soit leur besoin de conformité sociale, soit encore leur pouvoir. Le plus souvent, ils assoient leur autorité en provoquant la peur ou l'anxiété, par une attitude hostile, par des gestes d'intimidation ou par des représailles. Les menaces et les châtiments poussent la victime à s'interroger sur son éventuelle culpabilité, et, en alternant clémence et sévérité, l'agresseur place la victime dans l'incertitude et la confusion.

L'emprise peut aussi produire des *modifications de la conscience,* une sorte d'état hypnotique imposé. L'influence que l'agresseur exerce sur son partenaire diminue sa capacité critique et fait entrer ce dernier dans une sorte de transe, qui modifie ses perceptions, ses sensations et sa conscience. Au niveau cérébral, il se produit chez la personne une déconnexion entre le néocortex (siège des fonctions d'apprentissage et de la connaissance) et le cerveau reptilien, qui régit la vie végétative. Cela induit une vulnérabilité à la suggestion.

Le DSMIV[1] précise bien que ces états de dissociation peuvent résulter de manœuvres prolongées de persuasion coercitive (lavage de cerveau, redres-

1. DSMIV, *Manuel diagnostique et statistique des troubles mentaux,* American Psychiatric Association, Masson pour la traduction française, 1996.

sement idéologique, endoctrinement en captivité). Il est reconnu que l'on peut briser un prisonnier en le privant sur le plan émotionnel, en l'isolant et en lui faisant subir alternativement des séances d'humiliation et de torture.

La dissociation est un processus inconscient par lequel certaines pensées sont séparées (dissociées) du reste de la personnalité et fonctionnent indépendamment. La victime devient alors observateur extérieur de l'agression qu'elle subit. C'est un moyen efficace de survie, pour ne pas perdre la raison, une stratégie passive lorsqu'on a le sentiment qu'il n'y a aucune issue possible. Face à un événement traumatique inimaginable, le psychisme n'a d'autre recours que de le déformer ou l'occulter. La dissociation opère une séparation entre le supportable et l'insupportable qui est effacé. Elle filtre l'expérience vécue, créant ainsi un soulagement et une protection partielle contre la peur, la douleur ou l'impuissance.

Les processus dissociatifs peuvent amener la personne à oublier le traumatisme ou, plus exactement, à « oublier de se souvenir » des événements personnels stressants ou bien même de son passé tout entier. Habituellement, quand l'affectif s'en mêle, la mémorisation en est facilitée, mais, dans le cas d'un traumatisme, les affects pénibles sont mal digérés par la mémoire, ils ne se fixent pas. Dans la réalité, il se produit souvent le contraire, comme on peut le voir dans le stress post-traumatique ; les personnes oublient ce qu'elles voudraient garder en mémoire et retiennent ce qu'elles voudraient oublier. Elles sont envahies par des souvenirs répétitifs de l'agression, y pensent à tout moment, en rêvent la nuit, et tous leurs efforts pour penser à autre chose sont vains.

Les états dissociatifs peuvent également induire un état de dépersonnalisation avec anesthésie sensitive et un manque de réaction affective, ou bien encore un sentiment de perte de contrôle de ses actes.

Le phénomène de dissociation vient renforcer l'emprise et constituera une difficulté supplémentaire dont il faudra tenir compte dans la thérapie.

— *Par des techniques cognitives,* on peut aussi diminuer les facultés cognitives d'une personne, afin de la mettre dans la confusion. Cela se fait essentiellement par le contrôle du langage et de la communication. Certaines distorsions dans la communication peuvent être utilisées pour placer une personne dans une position de vulnérabilité et d'impuissance. Il suffit d'engendrer le doute, la confusion, d'ébranler les références intérieures de la personne et son narcissisme. En multipliant les messages contradictoires, on peut paralyser l'autre, le laisser dans l'incapacité de penser, d'agir, de s'opposer. Ces messages paradoxaux entraînent chez les victimes un épuisement physiologique et un renoncement à comprendre. Il se produit chez elles un effondrement de leur capacité critique et un fonctionnement automatique.

Comme je l'ai décrit dans un livre précédent[1], la mise en place de l'emprise se fait grâce à *la communication perverse.* Ce fonctionnement particulier, qui

1. Hirigoyen M.-F., *Le Harcèlement moral, la violence perverse au quotidien,* Syros-La Découverte, Paris, 1998.

peut donner l'illusion de la communication, n'est pas là pour relier, mais au contraire pour éloigner et empêcher l'échange. La victime ne doit pas comprendre ce qui lui arrive.

Les procédés en sont très stéréotypés :

• Refuser la communication directe : la communication se réduit à des sous-entendus, des remarques apparemment anodines mais déstabilisantes ; aucune réponse n'est donnée aux questions posées.

• Déformer le langage : le message est délibérément flou et imprécis. Il vise à désorienter l'autre, tout en le culpabilisant. La tonalité implique des reproches non exprimés, des menaces voilées.

• Mentir : ce peut être répondre à côté ou de façon indirecte, ou bien, par un assemblage de sous-entendus, créer un malentendu pour se déresponsabiliser et mettre en cause l'autre.

• Manier le sarcasme, la dérision, le mépris pour créer une atmosphère désagréable et faire tomber la méfiance. Afficher un cynisme destiné à enfoncer l'autre à petites touches sans que l'hostilité soit trop flagrante.

• Déstabiliser l'autre par des messages paradoxaux : il s'agit de semer le doute sur des faits plus ou moins anodins de la vie quotidienne, de contrôler ses sentiments et ses comportements, et même de faire en sorte qu'il finisse par approuver et se disqualifier lui-même.

• Disqualifier : c'est retirer à quelqu'un toute qualité, lui dire et lui répéter qu'il ne vaut rien, jusqu'à l'amener à le penser.

Au fond, il s'agit de faire passer des sentiments hostiles, sans que rien ne soit jamais exprimé, afin d'empêcher l'échange.

L'impuissance apprise

Si les femmes supportent autant de maltraitance, c'est qu'elles sont mises sous emprise et conditionnées. Le conditionnement est social, nous en avons déjà parlé, mais aussi relationnel, comme une sorte de dressage.

Lorsqu'elles sont piégées dans une situation sans issue, et, surtout, subissent des agressions de façon imprévisible, les femmes deviennent passives, elles ont l'impression que tous leurs efforts sont vains. Elles n'arrivent pas à imaginer comment elles pourraient changer les choses et ne se sentent pas capables de le faire.

Par des expériences sur des animaux, on a pu mettre en évidence qu'il s'agit d'un phénomène en partie physiologique : « Quand un individu apprend par expérience qu'il est incapable d'agir sur son environnement pour le transformer en sa faveur, il devient incapable, physiologiquement d'apprendre. »

A partir d'expériences sur le rat, H. Laborit[1] avait ainsi mis en évidence l'existence, dans le système nerveux, d'un circuit inhibiteur ou activateur de l'action. Ses travaux ont été repris par P. Karli qui a montré que, lorsqu'on fait perdre à un rat son statut de dominant, son cerveau secrète une hormone bloquant les apprentissages.

Seligman[2], à partir d'expériences réalisées sur des chiens, avait décrit le concept de *learned helplessness,* que l'on peut traduire par *impuissance apprise* :

1. Laborit H., *Éloge de la fuite,* Robert Laffont, Paris, 1976.
2. Cité par A. Escudero Nafs, thèse préc., p. 112.

Au début de l'expérience, des chiens ont été munis de harnais les empêchant de s'échapper. Puis, on les a soumis à des décharges électriques qui n'étaient précédées d'aucun signal et survenaient de façon aléatoire. Le lendemain, les animaux subissaient un entraînement, pour apprendre à éviter les décharges ou à s'échapper. Le jour d'après, on refaisait l'expérience du départ. Un tiers des chiens apprit rapidement à éviter les décharges électriques, mais les deux autres tiers adoptèrent une attitude passive et ne cherchèrent pas à prendre la fuite.

Les chercheurs en conclurent que l'attitude passive des deux tiers des chiens était la conséquence du manque de contrôle qu'ils avaient sur la situation, cela les empêchait d'apprendre à s'échapper.

Pour confirmer ces conclusions, l'expérience fut reprise avec des étudiants volontaires à qui on imposait des bruits insupportables de façon aléatoire et avec une intensité variable. Au fur et à mesure de l'expérience, les capacités cognitives des étudiants cobayes diminuèrent et aucun étudiant ne chercha à partir, alors que la porte n'était pas fermée à clef et qu'ils avaient été préalablement rémunérés.

Une étude de Lénore Walker[1], portant sur 403 femmes, a confirmé que l'impuissance apprise diminue la capacité des femmes à trouver des solutions à leurs problèmes et même fait disparaître, chez elles, tout désir de s'en sortir.

1. Walker L., *Battered, Woman Syndrome,* New York, Ed. Springer, 1984.

On sait désormais que l'impuissance apprise se produit lorsque les agressions sont imprévisibles et incontrôlables et qu'il n'y a aucun moyen d'agir pour changer la situation. Les femmes victimes de violence dans leur couple disent qu'elles ne savent jamais quand et pourquoi la tension apparaîtra, pourquoi elles se feront agresser. Elles constatent que toutes leurs tentatives pour calmer leur partenaire sont vaines, parce que, nous le verrons, cela ne dépend pas d'elles.

On ne sait jamais sur quel registre fonctionne un homme violent car il passe d'un registre à l'autre. L'anticipation devient donc impossible. Cela entraîne, chez les femmes victimes, un manque de motivation, un sentiment d'incompétence, de vulnérabilité ou de dépression lié au traumatisme émotionnel.

Le concept d'impuissance apprise nous permet également de comprendre comment des traumatismes antérieurs et, en particulier, la maltraitance ou des abus sexuels subis dans l'enfance, augmentent la vulnérabilité d'une femme confrontée à la violence de son compagnon. Je l'ai dit, il ne s'agit pas de masochisme ou de jouissance à être victime, mais d'une altération des moyens de défense par une agression passée.

Alors qu'il paraîtrait logique de penser que plus la femme subit une agression grave, plus elle a envie de partir, on constate, au contraire, que plus la maltraitance a été fréquente et grave et moins la femme a les moyens psychologiques de partir.

Néanmoins, la soumission apparente des femmes à leur conjoint violent ne doit pas être considérée uniquement comme un symptôme mais aussi comme une stratégie d'adaptation et de survie. Les femmes savent bien, au fond d'elles, que l'opposition frontale à un homme violent peut augmenter gravement la violence de celui-ci, alors elles essaient de le calmer et de le satisfaire, afin d'éviter que les choses n'empirent.

Le syndrome de Stockholm

La difficulté qu'ont les femmes à quitter un conjoint violent peut aussi s'expliquer en faisant le parallèle avec le syndrome de Stockholm. Ce phénomène a été décrit à propos d'otages qui ont pris la défense de leur agresseur. Un lien paradoxal se met alors en place entre des victimes et leurs bourreaux ou entre un otage et ses ravisseurs :

« Lorsqu'une personne est soumise à une violence imprévisible, placée dans un état d'impuissance extrême, et qu'il n'y a aucune issue, des défenses particulières se mettent en place chez elle et un sentiment d'identification à l'agresseur peut se développer. »

Le 23 août 1973, un évadé de prison tente de commettre un hold-up dans une banque de Stockholm. L'intervention des forces de police l'oblige à se retrancher dans la banque où il prend en otage quatre employés. Son compagnon de cellule vient le rejoindre. Lors de leur libération, les otages s'interposent entre leurs ravisseurs et les forces de l'ordre. Pendant le procès, ils prendront la défense des ravisseurs. L'une des victimes, tombée amoureuse de son ravisseur, finira par l'épouser.

En ce qui concerne les otages, on sait que cette réaction d'ordre psychique est d'autant plus courante que la captivité a duré longtemps, que la victime est jeune, de sexe féminin, et que la cause est « juste » sur le plan idéologique. Elle s'explique, en partie, par la promiscuité dans laquelle vivent agresseurs et victimes et par la dépendance psychologique de ces dernières. Quand une personne est dans une situation où sa vie est en danger et qu'elle n'a aucune défense face à l'individu qui a pouvoir de vie et de mort sur elle, elle en vient à s'identifier à lui. Dans ce cas, la victime se met en quelque sorte à voir le monde par les yeux de son agresseur, afin de maîtriser le danger.

Dans le cas d'une prise d'otages, la séquestration ne dure que quelques semaines, voire quelques mois, et pourtant elle peut entraîner un attachement paradoxal à l'agresseur. Pour une femme qui vit des années avec un compagnon violent et qui échange avec lui des relations intimes, on peut sans peine imaginer que la situation est plus grave.

Le syndrome de Stockholm est à rapprocher de l'état dissociatif que nous avons décrit précédemment.

Les victimes passent par les mêmes phases : les premières violences constituent une effraction dans un environnement qui apportait confiance et sécurité, le foyer, ce qui entraîne une perte de confiance dans le conjoint. Ce sentiment insupportable et culpabilisant est immédiatement annulé et la femme entre dans un état de résistance passive. Elle accepte la situation et s'adapte au modèle mental de son conjoint, elle est d'accord avec ses justifications. Elle finit par rendre le monde extérieur responsable :

« S'il est comme ça, c'est à cause des autres ! S'il est violent c'est parce qu'il a trop de soucis ! » Elle considère alors que son destin est de subir des injustices. Elle n'a plus le sens de ce qui est bien et mal, de ce qui est juste et injuste. Enfin, elle peut entrer dans une phase de dépression et de stress posttraumatique.

Ce syndrome ne constitue en aucun cas une pathologie, mais il est une protection efficace pour les victimes car cela les empêche de réagir violemment, ce qui les mettrait en danger.

Les mécanismes d'adaptation à la violence

On s'adapte à la violence différemment selon les circonstances. Les études de Sluzki[1] sur le sujet permettent de connaître à l'avance les altérations du psychisme d'une femme, en fonction de la forme de violence qu'elle subit dans son couple.

Selon lui, les effets de la violence varient en fonction de deux éléments : le niveau de menace perçu par la personne et la fréquence du comportement violent :

– Quand les violences sont de basse intensité et surviennent à un moment inattendu, comme dans le cas des microviolences, il se produit une réaction de surprise et d'incrédulité.

1. Sluzki O., « Violencia familiar y violencia política », in *Nuevos Paradigmas, cultura y subjetividad,* Paidos, Buenos-Aires, 1994.

– Quand les violences sont habituelles et de basse intensité, il se produit une sorte d'anesthésie de la personne, qui s'habitue à être humiliée et écrasée. C'est ce qui se produit dans la violence perverse où les attaques ne sont pas reconnues, au départ, comme des agressions.

– Quand les violences sont de forte intensité et inattendues, une réaction d'alerte se produit, qui peut être défensive ou offensive, amenant la personne soit à fuir, soit à affronter la situation.

– Quand la violence de la personne est extrême, comme cela peut se produire chez un psychopathe dans un état de rage consécutif à la prise d'alcool ou de drogue, et qu'il y a un risque mortel pour la victime, on observe une altération de la conscience, un état de désorientation et une paralysie des réactions chez celle-ci. Au fond, lorsque la peur est intériorisée, il n'y a plus de réaction apparente.

Face à un conjoint violent, il est difficile de distinguer ce qui est de l'ordre de la contrainte et ce qui est de l'ordre du compromis. Une femme qui a un partenaire abusif finit par s'adapter. Pour avoir la paix, elle veille à ne pas déplaire ; elle anticipe les réactions violentes, se fait passe muraille, renonce aux minijupes, au maquillage, même si c'est pour subir ensuite des reproches sur le fait qu'elle n'est pas suffisamment sexy. En même temps, l'estime de soi diminue, la femme perd toute assurance, devient plus fragile et plus vulnérable. Vivant dans un climat de tension continuelle, elle s'y habitue et le tolère de plus en plus, parce qu'elle doute de ses propres émotions et de sa compréhension de la situation.

Avant, quand il élevait la voix, j'étais boule-
versée et je n'étais même pas capable de travailler. Maintenant, je suis habituée à ses
insultes, alors je m'efforce de penser à autre
chose. Pourtant, je suis toujours sur la défensive car on ne sait jamais quand il va se
déchaîner.

La violence augmente progressivement et la résistance de la femme diminue jusqu'à devenir simplement une lutte pour la survie.

La dépendance
La dépendance est une conséquence de l'emprise
et de la manipulation dont nous avons parlé précédemment.

Il m'a fallu quatre ans après notre séparation
pour ne plus être sous son emprise. C'est fini,
maintenant je n'ai plus peur. Paradoxalement, c'est en ne ressentant plus cette peur
que je me suis rendu compte qu'elle m'avait
accompagnée pendant tellement d'années.

Il se crée une véritable addiction au partenaire qui
s'explique par des mécanismes neurobiologiques et
psychologiques, pour éviter de souffrir et obtenir un
certain apaisement. Sur le plan physiologique, l'addiction à une personne est très proche de l'addiction à
une substance psycho-active. C'est un processus par
lequel un comportement, pouvant produire à la fois
du plaisir et écarter ou atténuer une sensation de
malaise interne, est répété sans aucun contrôle, bien
que l'on sache qu'il est nocif.

Dans la violence conjugale cyclique où l'emprise n'est pas au premier plan, l'alternance de phases d'agression et d'accalmie ou même de réconciliation crée un système de punitions-récompenses. Chaque fois que l'homme violent est allé trop loin et que la femme pourrait avoir la tentation de partir, elle est « raccrochée » par un peu de gentillesse ou d'attention. Induisant une confusion entre amour et sexualité, l'homme cherche une réconciliation sur l'oreiller. En même temps, il dévalorise sa compagne et elle perd confiance en elle. Il l'infantilise : « Que ferais-tu sans moi ? » Au bout d'un moment, elle est persuadée que sans lui, elle n'y arriverait pas.

Mais la dépendance peut se répéter sur les enfants du couple, comme nous allons le voir dans l'exemple suivant :

> Ariane a vécu vingt ans avec un homme dont elle dit : « Il était fantasque et dépensier. » En fait, c'était un pervers manipulateur qui non seulement ne participait pas aux frais du ménage, mais menait un grand train de vie à l'extérieur (boîtes de nuit, sports onéreux), laissait sa femme régler les dettes et faire des heures supplémentaires pour élever leur fils. Elle dit de lui que, par ailleurs, il était très exigeant. Par exemple, si elle était au téléphone quand il arrivait, il regardait ostensiblement sa montre jusqu'à ce qu'elle raccroche ou bien, certains soirs, il l'obligeait à rester assise dans un fauteuil, toute la nuit, à l'écouter, alors qu'elle devait se lever tôt, le lendemain, pour aller travailler. Un jour, comme il n'aimait pas la famille d'Ariane et

qu'elle avait émis le désir d'aller voir sa sœur, il l'a « débarquée » en rase campagne, avec son fils encore jeune, et elle a dû rentrer à pied.

Elle dit qu'il ne l'a jamais franchement battue : « Il me bousculait, et je tombais toute seule. »

Ariane acceptait tout cela parce qu'elle espérait qu'il changerait, et aussi pour avoir la paix, car, sinon, il la harcelait jusqu'à ce qu'elle cède. Avec lui, elle ne savait plus où elle en était, car « il semait des petites graines de doute et de culpabilité ». Quand elle se révoltait, il décrochait les rideaux, déplaçait les meubles, mettait tout au milieu de la pièce et disait : « Je mets le feu, puis je me flingue ! »

Aînée d'une famille nombreuse catholique, composée essentiellement de filles, elle portait, tout comme sa mère et ses sœurs, une grande admiration à son père, homme d'affaires discret et apprécié de tous. Sa famille avait des biens et lui avait appris qu'il était normal d'en faire profiter les autres.

À dix-huit ans, son fils a été le premier à se révolter contre son père ; celui-ci l'a alors mis à la porte, et Ariane n'a pas pu s'y opposer. Par la suite, elle dû aller le voir en cachette de son mari.

Quelques années plus tard, alors qu'Ariane s'était enfin séparée de cet homme, son fils lui a annoncé qu'il était entré dans un groupe religieux qui se révélait être une secte. Il lui demandait de se porter caution solidaire pour aider le groupe, ce qu'elle refusa.

« Je ne regrette à aucun moment d'avoir quitté mon mari, mais je m'en veux, pour mon fils, d'être restée dans cette situation si longtemps. »

L'inversion de la culpabilité

Dans tous les cas de violence conjugale, il y a une inversion de la culpabilité. Les femmes pensent que, si leur partenaire est violent, c'est parce qu'elles n'ont pas su le combler, pas su s'y prendre avec lui, ou qu'elles ont eu un comportement inadapté. Cela est renforcé par la valorisation excessive, qui est faite dans les médias, sur l'importance de la sexualité et de la séduction dans un couple. Si, par exemple, une femme s'est opposée au désir de son partenaire et qu'ensuite il se soit montré violent, elle pourra se dire : « C'est moi qui l'ai provoqué parce que je n'ai pas voulu avoir de rapports sexuels ! »

La femme porte la culpabilité que son partenaire n'éprouve pas. Elle est rendue responsable des difficultés du couple. En fait, la culpabilité s'inverse parce que la victime ne parvient pas à formuler ce qu'elle subit et à en faire le reproche à l'homme. Les fautes qui n'ont pas été nommées sont « portées » par les victimes, en attendant qu'elles soient reconnues par leur auteur. Il s'agit là d'une double blessure, dont les victimes ne seront pas soulagées. La culpabilité masque alors l'agressivité que ces femmes ne réussissent pas à éprouver.

Après vingt-cinq ans de mariage, Danièle continuait à penser que son mari avait un « tempérament », façon de dire qu'il avait un caractère difficile. Parce qu'elle le blessait sans le vouloir, elle lui a toujours trouvé des excuses, pensant qu'elle était partiellement responsable. C'est ainsi qu'elle expliquait la violence verbale de son mari : il pouvait avoir l'impression qu'elle voulait le rabaisser en public, parce qu'elle était plus brillante et plus à l'aise avec les gens. D'une façon générale, quand il s'énervait, elle essayait, pour les enfants, de détendre l'atmosphère. Elle a pris la décision de le quitter lorsque, après lui avoir donné une paire de claques pour une remarque anodine, il a cherché à l'étrangler. Elle a vu alors de la haine dans son regard.

Les hommes violents peuvent utiliser des manœuvres de rétorsion. Si les choses se passent mal, c'est parce que leur femme a tenté de se défendre : « C'est à cause de ton comportement que je suis obligé d'agir comme ça ! » C'est ainsi que, lorsque les femmes vont au commissariat pour dénoncer la violence, elles ont l'impression de trahir leur compagnon.

Il arrive aussi que, comme dans *Le Procès* de Kafka, certains hommes demandent à leur compagne de trouver pour eux l'explication à leur propre violence, jusqu'à la reconnaître et l'intérioriser pour elle-même : « Tu ne sais pas pourquoi je te traite comme ça, eh bien, cherche et tu comprendras peut-être ! »

Les partenaires violents renforcent le processus de culpabilisation, lorsque la femme menace de partir. Elle est alors accusée de vouloir le détruire et cela est accentué par le chantage au suicide : « J'ai peur que mes enfants me disent un jour : "Tu as abandonné papa et il s'est tué." »

Le stress post-traumatique

La persistance du lien de dépendance se poursuit, alors même que la situation de conditionnement a disparu. Plus celle-ci dure, moins la personne peut se dégager, elle est prise entre dépendance et violence, et cela aboutit parfois à une véritable mort psychique.

Les femmes victimes de violence dans leur couple, comme toute personne exposée de façon répétée à des traumatismes, peuvent présenter, longtemps après la séparation, des troubles de stress post-traumatique.

Les personnes traumatisées présentent un haut niveau d'activité mentale et physique. Cela se traduit d'abord par des troubles anxieux. Ce peut être une anxiété flottante accompagnée d'un sentiment permanent d'insécurité et des poussées d'angoisse comparables à des « attaques de panique ». On constate aussi, chez ces personnes, des difficultés d'endormissement, leur sommeil est léger, le moindre bruit provoque un réveil anxieux, elles ont des cauchemars mettant en scène le passé. Mais le symptôme principal se manifeste par des reviviscences anxieuses du traumatisme. Il s'agit d'un revécu quasi hallucinatoire et fugace ; il suffit d'une silhouette entrevue dans la rue, d'une conversation rappelant le contexte traumatisant, pour que la personne soit submergée par la même angoisse que lors du traumatisme initial. Cela entraîne une vigilance accrue et un évitement de tout ce qui évoque de près ou de loin l'événement traumatisant.

Puisqu'on ne peut pas échapper à ces évocations traumatiques, la fuite mentale sera une échappatoire. Aussi les personnes traumatisées présenteront souvent un détachement par rapport aux événements et aux personnes qui passera pour de la fatigue.

Ces perturbations sont liées à des dysfonctionnements au niveau de plusieurs structures cérébrales, conséquence directe des mécanismes physiologiques de l'emprise.

La dérégulation cérébrale observée dans le stress post-traumatique a été bien étudiée sur des animaux de laboratoire, mais le traitement des patients souffrant de ces troubles est complexe et nécessite des approches multiples.

QUI SONT LES INDIVIDUS VIOLENTS ?

LES FEMMES VIOLENTES

La violence n'a pas de sexe. Les femmes aussi savent être violentes et, quand elles le peuvent, elles utilisent tout autant que les hommes les outils du pouvoir. Si on en doutait, il suffirait de se souvenir des photos de la soldate américaine Lynndie England tenant en laisse un prisonnier américain. D'autres faits divers nous décrivent des femmes perverses qui, sans scrupule, s'associent à leur conjoint pour maltraiter leurs enfants.

Depuis quelques années, des groupes de défense des droits des hommes et des pères dénoncent la violence exercée sur leur compagnon par des femmes. Leurs arguments seraient que celles-ci peuvent être aussi violentes que les hommes et qu'en particulier elles sont tout aussi capables de lancer des objets et de menacer de frapper.

C'est ainsi qu'une étude menée par l'association Father-Care signale que cent mille hommes adultes seraient ainsi malmenés, chaque année, soit par leur épouse dans les couples hétérosexuels, soit par leur partenaire masculin dans les couples homosexuels. Une étude américaine, initiée par Suzanne Steinmetz en 1978, avait donné les chiffres de 250 000 maris américains battus par leurs femmes. Mais il s'agissait d'une extrapolation à partir d'une enquête portant sur 57 couples, où 4 hommes s'autoproclamaient victimes de violence de la part de leur partenaire. En 1997, une étude réalisée par l'unité médico-judiciaire de l'Hôtel-Dieu donnait 3 à 5 % d'hommes battus dans les consultations pour violence conjugale. On peut cependant penser que ces chiffres sont sous-estimés car, d'une part, les hommes, plus que les femmes, éprouvent des difficultés à avouer leur situation et à se présenter en victimes et, d'autre part, les chiffres ne tiennent compte que des faits de violence physique et les femmes exercent surtout une violence psychologique sur leur partenaire.

S'il y a peu d'études sur le sujet, c'est parce que les hommes ont honte d'être victimes d'une femme et préfèrent se taire, et que, quand ils osent parler, en général, ils ne sont pas crus. Déposer une main courante ou une plainte n'est pas évident devant des policiers incrédules.

De plus, étant donné leur force physique moindre, la violence physique des femmes a des conséquences moins dramatiques que celle des hommes. Les femmes frappent à main nue et beaucoup plus rarement en utilisant des objets contondants.

> Après vingt ans de mariage, Charles quitte le domicile conjugal à la suite de coups reçus de sa femme, Sylviane.
> Quand il se présente à la police, ses vêtements sont déchirés, il a un énorme hématome au visage, une côte fêlée, et son corps est couvert de griffures.
> La violence de Sylviane a débuté après quelques années de mariage, lorsque Charles, en

mission à l'étranger pour son travail, commence une liaison avec une autre femme, qui lui fera du chantage à la paternité. Quand Sylviane l'apprend, elle rejoint son mari et se met à lui faire des scènes et à le frapper. Charles, se sentant fautif, ne se défend pas. Par la suite, elle continuera à le frapper régulièrement jusqu'à ce qu'il demande le divorce.

L'expertise psychiatrique conclut que Charles ne présente aucune pathologie, mais que, par contre, Sylviane, qui a une personnalité paranoïaque, souffre d'une névrose hystérique grave. Cela perturbe massivement sa vie relationnelle. Selon l'expert, « l'égocentrisme est caricatural, accompagné d'une possessivité affective qui l'amène à ne pas tenir compte de l'autre, et reste centrée sur sa propre personne ». Sylviane n'est absolument pas consciente de ses troubles, elle se présente, au contraire, en victime.

Plusieurs années après la séparation, justice n'est toujours pas rendue car Sylviane fait appel de toutes les décisions. Malgré une expertise psychiatrique accablante, les juges continuent à parler de « situation conflictuelle ».

Le plus souvent, cependant, la violence physique des femmes est réactive. La majorité de celles qui ont tué leur conjoint l'ont fait dans un contexte de protection ou de légitime défense face aux violences dont elles étaient victimes.

Alors que mon mari se préparait à me frapper pour la énième fois, j'ai voulu appeler la police, mais il a essayé de m'en empêcher. Je l'ai alors frappé avec le combiné du téléphone. Il a beaucoup saigné et j'ai eu très peur. Je suis très culpabilisée et j'ai encore plus peur car il a fait faire un certificat médical et il me dit que, désormais, je ne pourrai plus me plaindre, qu'il dira partout que c'est moi la violente.

Comme on l'a déjà souligné, alors que les hommes usent volontiers de violence physique pour dominer et contrôler leur partenaire, les femmes utilisent plus fréquemment la violence perverse et la manipulation : établissement de fausse déclaration de grossesse pour retenir un homme, chantage récurrent au suicide ou fausses allégations d'attouchements sexuels sur les enfants. Quand une femme insulte un homme, la disqualification se fait le plus souvent en le féminisant : « Tu n'es qu'un impuissant, un pédé, une lavette, une tantouze ! »

Si des hommes sont violentés par leur compagne, ce n'est pas du tout dans les mêmes proportions que pour les femmes. Dans 98 % des cas de violence, l'auteur est un homme. Sans nier la violence physique ou psychologique dont peuvent être victimes certains hommes, il est nécessaire de mettre en perspective les données, pour comprendre l'inégalité de répartition de la violence de couple. De plus, pour des raisons culturelles, les hommes victimes de violence trouvent plus de ressources à l'extérieur et réussissent à se dégager plus rapidement de la relation. Ils peuvent, certes, être malmenés par leur femme, mais ils risquent moins de perdre leur identité car, à l'extérieur, ils continuent à être valorisés en tant qu'hommes. Par ailleurs, les hommes ont plus souvent la possibilité matérielle de partir, ce qui fait qu'habituellement ils restent moins longtemps avec leur partenaire.

Qu'en est-il de la figure de la mégère ou de la femme perverse ?

> Sonia est mariée depuis dix ans et elle n'aime plus son mari. Si elle reste, c'est parce qu'elle craint l'insécurité matérielle et que, à quarante ans, elle aimerait bien avoir un enfant : « Mon mari ne m'intéresse que pour son sperme ! »
> Elle cherche en même temps quelqu'un d'autre sur Internet et dit clairement que sa recherche se fait sur des critères matériels : bons revenus, bon niveau social et bon géniteur.
> Avec son mari, elle fait le minimum : elle ne lui parle plus et évite autant que possible de prendre ses repas avec lui. Parfois, elle le rudoie : « Mais c'est parce qu'il est trop mou, il m'énerve ! », et elle l'agresse verbalement.

Elle existe bien, comme on le voit à travers Sonia ; il faut cependant se méfier car, pour se disculper, beaucoup d'hommes tendent à décrire la manipulation sentimentale ou émotionnelle de leur compagne comme une réciproque à leur violence, ou bien accusent leur femme d'avoir, par leur comportement, provoqué la violence. L'homme est-il maltraité par une femme qui ne le respecte pas ou bien celle-ci est-elle devenue violente à force d'être elle-même tyrannisée ? Certains hommes s'estiment victimes parce que, lors d'un divorce, leur femme a essayé de leur extorquer une énorme pension alimentaire ou bien parce qu'elle exige la garde des enfants.

Dans le cas de certaines femmes acariâtres, on peut se demander si elles ne seraient pas simplement aigries par des années de soumission conjugale.

Il se peut que l'homme victime de la violence de sa partenaire présente un trouble de la personnalité ou un fonctionnement masochiste, mais c'est exceptionnel.

> Pierre est marié avec Jenny depuis dix ans. Il reconnaît que, s'il a choisi une femme avec un caractère aussi fort, c'est parce qu'il a lui-même une part infantile marquée. Elle, elle est solide, autoritaire, lui, il est toujours fatigué, plus ou moins dépressif, et s'estime peu. Petit à petit, il s'est retrouvé exclu dans sa propre famille, et même son fils le dévalorise.

Le plus souvent, comme pour les hommes, la violence des femmes est un outil de domination. En fait, dans ces couples, il y a une inversion des rôles traditionnels : le dominant est la femme et le dominé l'homme.

La plupart des hommes violentés par leur compagne sont des hommes qui ne présentent pas de pathologie particulière, tout en ayant la caractéristique de n'être absolument pas machos. D'ailleurs, contrairement aux hommes violents, ils ne récriminent pas contre *les* femmes en général, ils se contentent de dire qu'ils ont des difficultés avec *leur* femme.

Les femmes violentes présentent le plus souvent une personnalité borderline (état limite), avec toutes les caractéristiques que nous décrirons plus loin.

> Vincent a rencontré Patricia à l'époque où son mariage battait de l'aile. Il a alors divorcé et est venu habiter chez elle. Très rapidement, Patricia a reproché à Vincent de verser une pension alimentaire trop élevée à son ex-femme. Elle aimerait qu'il cesse de payer afin qu'ils aient un meilleur niveau de vie. Cela provoque des discussions violentes au cours desquelles Patricia profère des insultes envers l'ex-femme de Vincent et ses enfants : « Tes enfants sont nuls, mal élevés ! »
>
> Comme Vincent refuse de sacrifier sa famille, elle s'énerve, puis tente de l'agresser physiquement. C'est ainsi qu'elle lui a balancé une lampe sur la tête ou, qu'une autre fois, elle l'a poursuivi avec un couteau de cuisine. Pour le moment, Vincent se contient et ne réplique pas, mais il sent bien qu'il suffirait de peu pour que leur relation se transforme en fait divers et fasse la une des journaux.
>
> La violence de Patricia est le plus souvent constituée d'injures, de disqualification ou d'attaques sur la virilité de Vincent. Elle se plaint de la faible fréquence de leurs rapports sexuels : « Tu n'es qu'un homo refoulé ! » Elle lui reproche également de ne pas lui faire d'enfant : « Je suis violente, parce que tu ne me fais pas d'enfant ! » Elle a progres-

sivement éloigné Vincent de sa famille et de ses amis, « parce que ce ne sont pas des personnes fréquentables ». Elle ne le présente pas non plus à ses amis à elle « parce qu'il n'est pas à la hauteur ».

Vincent explique sa tolérance par le fait que la violence de sa compagne n'est pas directe. Elle réussit toujours à lui démontrer, au cours de leurs discussions, qu'il voit mal les choses. Il se met à douter. Lorsque la conversation dérive sur des injures, il pense : « Ce ne sont que des mots, ce n'est pas grave, ça va s'arrêter ! Je teste ma capacité à résister ! » Il dit aussi qu'il se sent responsable de ces dérapages et qu'il est convaincu que Patricia est, quand même, la femme de sa vie.

A priori, Vincent ne présente pas de pathologie particulière. C'est un homme solide et calme qui exerce une profession technico-commerciale.

Sur son enfance, on sait que son père était fréquemment absent et se montrait parfois violent verbalement, à la maison. Sa mère ne travaillait pas. Vincent a connu sa première femme à dix-sept ans et s'est mis très vite en couple, même s'il s'ennuyait avec celle-ci. Il dit que, pendant toute une période, il a fait des bêtises : alcool, drogues, sports extrêmes, sexe et grosses voitures. Maintenant, il s'est calmé et se sent responsable. Avec Patricia, il ne s'ennuie pas. Il apprécie son intelligence et son caractère affirmé.

À la suite de quelques injures de plus, Vincent a voulu quitter Patricia. Depuis, il a la peur au ventre car elle a promis de se venger sur ses enfants, menaçant d'aller les chercher à la sortie de l'école. Au début, il a tenu bon malgré les messages d'injures sur son répondeur. Elle a menacé de révéler aux enfants de Vincent toutes les turpitudes que leur père avait commises avant leur naissance, puis de se suicider. Elle a ensuite annoncé qu'elle était enceinte et qu'il était un salaud de ne pas s'occuper d'elle. Le lendemain, elle téléphonait en pleurs pour lui dire qu'elle était perdue sans lui et qu'elle avait décidé de commencer une psychothérapie.

Vincent a peur de céder à ses pressions : il sent bien que le cordon n'est pas coupé et que, même si la violence de leur relation n'est pas acceptable, il l'aime toujours.

Que dire de la relation de Vincent et de Patricia ?

Vincent est un homme qui lutte contre une dépression latente, en cherchant des excitations extérieures. Il fonctionne dans la dépendance, d'abord aux drogues, puis aux sensations fortes que lui procure sa relation avec Patricia. La quitter lui est difficile car il sent bien qu'il risquerait de tomber dans un gouffre dépressif. C'est pourquoi il ne peut le faire seul. Il a besoin d'un appui psychothérapeutique. Il n'en veut pas à Patricia : il sait bien qu'elle est, comme lui, victime de son histoire familiale ; elle aurait, elle aussi, subi des violences de la part de sa mère.

Sans nier la réalité de la violence des femmes, il faut veiller à ce que cela ne serve pas à jeter le discrédit sur les femmes victimes de violence, phénomène d'une ampleur sans commune mesure, comme on l'a plusieurs fois souligné.

LES HOMMES VIOLENTS

Les pires tyrans sont ceux qui savent se faire aimer.

Spinoza

On peut se demander pourquoi les comportements violents sont incontestablement plus fréquents chez les hommes que chez les femmes.

Pour répondre à cette question, différents modèles ont été proposés.

Les premières études sur la violence domestique ont tenté d'établir un fondement neurologique aux comportements violents, et on a cherché, en vain, une localisation cérébrale spécifique de la violence. Certes, on sait qu'au niveau endocrinien un taux élevé de testostérone, l'hormone mâle, peut conduire à la violence et que les neuromédiateurs cérébraux, tels que la sérotonine, jouent un rôle. Néanmoins, aucune explication biologique ne peut expliquer pourquoi les hommes violents le sont uniquement avec leur partenaire intime et, pour la plupart d'entre eux, jamais à l'extérieur du foyer.

Selon les tenants de la sociobiologie, la violence à l'égard des femmes ne serait qu'une stratégie de domination inscrite dans les gènes de l'homme, afin de lui garantir l'exclusivité des rapports sexuels et de la reproduction. Si l'on suit cette théorie un peu farfelue, on ne comprend pas pourquoi tous les hommes ne sont pas violents.

Les féministes se sont attachées à analyser le contexte social permettant la maltraitance des femmes. Selon elles, la société prépare les hommes à occuper un rôle dominant et, s'ils n'y parviennent pas naturellement, ils tendent à le faire par la force. La violence serait pour eux un moyen parmi d'autres de contrôler la femme. Au départ, un petit garçon n'est pas plus agressif qu'une petite fille, mais sa socialisation à l'école, dans les activités sportives, s'accompagne d'une initiation à la violence. Tandis que la violence des garçons est acceptée et même valorisée : « Défends-toi si tu es un homme ! », on apprend aux filles à l'éviter. Quand elles sont bagarreuses, on dit que ce sont des garçons manqués. La socialisation fondée sur l'apprentissage des rôles sexués octroie aux hommes une position de pouvoir et d'autorité. Aux femmes, on attribue des comportements typiquement « féminins », tels que la douceur, la passivité, l'abnégation, alors que les hommes seraient forts, dominateurs, et n'exprimeraient pas leurs émotions. Comme le montre Pierre Bourdieu[1], tout ce qui est valeureux, respectable, digne d'admiration est du domaine du masculin, alors que ce qui est faible, méprisable ou indigne est du registre féminin.

1. Bourdieu P., *op.cit.*

Cependant, l'explication sociologique n'est pas non plus suffisante car la majorité des hommes ne sont pas violents.

Il apparaît, en revanche, qu'un pourcentage important d'hommes poursuivis en justice pour violence à l'encontre de leur partenaire auraient souffert de maltraitance dans leur enfance. Depuis 1990, plusieurs études ont mis en évidence une corrélation nette entre les psychotraumatismes subis au cours de l'enfance et certains troubles de la personnalité. On verra en particulier, dans le chapitre suivant, que les hommes violents ont en grande majorité une personnalité borderline et antisociale. Certains spécialistes associent d'ailleurs la personnalité borderline à la violence conjugale[1].

À la naissance, le cerveau n'est pas construit une fois pour toutes. Des expériences traumatiques précoces peuvent altérer l'équilibre cérébral. C'est ainsi que les mauvais traitements et les abus subis dans l'enfance ou bien un choc intense ayant entraîné un stress post-traumatique peuvent modifier l'équilibre du système nerveux.

On constate le même phénomène chez les femmes, mais beaucoup moins fréquemment que chez les hommes. Quand elles ont subi des mauvais traitements ou des abus sexuels dans l'enfance, il leur arrive d'avoir recours à la violence, mais le plus souvent, à la suite de tels traumatismes, elles ont perdu leurs limites et elles sont plus vulnérables face

1. Dutton D.G., *The Abusive Personality,* The Guilford Press, New York, 1998.

à une agression. On peut donc avancer que les traumatismes de l'enfance, en fragilisant la personne et en modifiant sa personnalité, entraînent une plus grande perméabilité à la pression sociale.

Il ne faut pourtant pas en conclure trop vite que les hommes sont violents uniquement en réaction à une violence subie dans l'enfance, on doit se méfier d'une telle simplification ; tous les hommes violents n'ont pas subi de traumatismes dans l'enfance. Lorsque c'est le cas, il est important de reconnaître chez eux les séquelles et les marques qu'a pu laisser une enfance douloureuse, mais cela ne les transforme pas *ipso facto* en malades ou en monstres et ne les dégage en rien de la responsabilité de leurs actes. Certes, une enfance difficile ou des manques affectifs sont souvent le lot des hommes violents ; néanmoins, leur mal-être ne doit pas être une excuse pour détruire leur partenaire, c'est au contraire une raison d'entreprendre une psychothérapie.

Un autre angle d'approche se fonde sur la théorie de l'apprentissage social. Selon cette théorie, les comportements violents s'acquièrent par l'observation des autres et se maintiennent s'ils sont valorisés socialement. Lorsqu'un homme a été élevé par un père violent, son organisation intrapsychique a été changée, jusqu'à ce que le recours à la violence fasse partie de son mode de fonctionnement. Il prendra l'habitude de réagir par la violence chaque fois qu'il aura besoin de soulager ses tensions internes ou de se valoriser. Par la suite, si ses actes violents ne sont pas sanctionnés, il n'y a pas de raison qu'ils ne se reproduisent pas, et c'est naturellement ce qui arrive. Il suffit de laisser faire une fois pour que l'habitude se maintienne.

Si on suit ce modèle, on ne peut que s'inquiéter de

l'importance de la pornographie dans l'éducation des jeunes. La pornographie pousse à l'extrême les rôles masculins et féminins. L'homme y est nécessairement agressif, la femme passive et soumise, et on y banalise l'agression sexuelle et le viol. Le sexe y est sexisme. Or, une enquête récente a montré qu'une grande majorité de jeunes garçons faisaient leur apprentissage sexuel à travers les films pornographiques.

Il m'apparaît que ces différentes approches ne sont pas antagonistes, mais complémentaires, et toutes sont à prendre en compte.

Aucun facteur pris isolément ne suffit à expliquer pourquoi un individu est violent. Un traumatisme de l'enfance peut certes créer, par le biais du stress post-traumatique, une prédisposition à la violence, qui sera ou non renforcée par le contexte social et culturel de la personne.

De façon générale, en dehors même des traumatismes, la personnalité d'un individu est influencée par son éducation et son environnement social. C'est ainsi qu'actuellement, dans notre société occidentale, nous rencontrons peu de pathologies névrotiques et beaucoup plus de pathologies narcissiques dont nous parlerons dans le chapitre suivant. Nous verrons que cela n'est pas sans influence sur les modalités de la violence conjugale telle qu'elle se présente actuellement.

La fragilité des hommes

La déresponsabilisation
Tous les hommes violents ont tendance à minimiser leurs gestes, à se trouver des causes externes, notamment en tenant leur conjointe pour responsa-

ble, contrairement aux femmes victimes qui, d'une façon générale, cherchent plutôt une explication psychologique interne à l'apparition de la violence chez leur partenaire.

Or, contrairement à ce que l'homme prétend, ce n'est pas un comportement précis de sa compagne qui provoque son déchaînement, mais il se sert de ce prétexte pour justifier sa colère, ses insultes, ses gestes agressifs. Tous les récits des victimes décrivent des hommes qui deviennent irritables sans raison apparente. Ils sont de mauvaise humeur, se plaignent d'avoir mal dormi, d'avoir des contrariétés, et ils cherchent une occasion pour justifier leur irritabilité. Cette tension augmente en intensité jusqu'à la violence verbale puis physique.

Les causes extérieures qu'ils invoquent sont très stéréotypées. Ce peut être le stress (il est énervé en raison de soucis d'argent), une provocation de leur femme (elle a provoqué leur colère), et, dans ce cas, l'agression s'apparente alors à une correction. Une autre excuse invoquée peut être le respect de règles religieuses ou d'habitudes culturelles : l'homme est chef de famille et la femme doit lui obéir. Une autre excuse enfin, fréquemment mise en avant par les hommes, mais également par les intervenants extérieurs, est l'alcool. Certes, les conduites agressives liées à l'alcool sont très courantes puisque, dans la population générale, les actes violents commis sous l'emprise de l'alcool concernent plus de la moitié des homicides. Les qualités désinhibitrices de l'alcool ont fait dire à des psychanalystes que « le surmoi était soluble dans l'alcool ». Or ce n'est pas l'alcool qui provoque directement la violence, il permet seulement la libéralisation de la tension interne jusque-là contenue, en créant un sentiment de toute-puissance. L'alcoolisation ne doit pas être synonyme de déresponsabilisation. Il faut d'ailleurs préciser que tous les alcooliques ne sont pas violents et que des alcooliques sevrés peuvent le rester.

Tous ces hommes qui justifient leur comportement par une perte de contrôle savent le modérer en société ou sur leur lieu de travail. La plupart d'entre eux sont difficiles dans leur couple ; toutefois, ils ne présentent ni difficultés particulières dans leur vie sociale ni trouble psychiatrique évident. Tout se passe comme si le fait de polariser leurs difficultés dans le cadre du couple leur permettait de préserver leur vie sociale.

La société continue à attendre des hommes qu'ils occupent un rôle dominant, or, s'ils se sentent incompétents ou impuissants, ils peuvent chercher à compenser cette faiblesse qu'ils ressentent en eux par des comportements tyranniques, manipulateurs et violents en privé. Bien évidemment, ils ne l'avoueront pas ouvertement ; le déni est pour eux un moyen d'échapper à la honte et à la culpabilité, mais c'est aussi un moyen de ne pas voir leur fragilité interne. Il leur faut se maintenir dans la toute-puissance, au besoin par la manipulation et le mensonge. Comme ils ne veulent pas être responsables, c'est forcément la faute d'un autre ; ils se tirent d'affaire et retournent le problème en se posant en victimes. À défaut d'excuses extérieures crédibles, ils savent alors apitoyer l'autre en racontant leur enfance malheureuse, comme on l'a vu.

Cette déresponsabilisation est mal acceptée par les femmes, car dénier leur souffrance à elles constitue une attaque supplémentaire. Elles préfèrent, nous l'avons vu, porter seules la culpabilité que leur partenaire n'endosse pas.

Des hommes fragiles psychologiquement

Ce sont leurs failles narcissiques (une faible estime d'eux-mêmes) qui constituent le soubassement du comportement des hommes violents. Ce sont leur fragilité et leur sentiment d'impuissance intérieure qui les amènent à vouloir contrôler et dominer leur compagne. Ils attendent d'elles, comme un enfant peut l'attendre d'une mère, qu'elles allègent le poids de leurs tensions, qu'elles soulagent leurs angoisses. Puisqu'elles n'y réussissent pas, elles apparaissent comme des ennemies et sont tenues pour responsables de tout ce qui ne va pas. Ces hommes craignent d'être envahis par une angoisse d'anéantissement, et l'acte violent agit chez eux comme une protection de leur intégrité psychique. Le contrôle sur l'autre, à l'extérieur, vient suppléer leur manque de contrôle interne.

La violence est pour ces hommes un palliatif pour échapper à l'angoisse, ainsi qu'à la peur, peur d'affronter les affects de l'autre, peur d'affronter les leurs.

> Mon mari s'est montré violent chaque fois qu'il était en position de vulnérabilité. Quand j'ai été enceinte et qu'il ne voulait pas que je garde l'enfant, au lieu de me le dire clairement, il s'est montré désagréable, m'a rejetée, jusqu'à ce que, moi-même, je ne sois plus sûre de vouloir cette grossesse. Puis il m'a épuisée, en lançant des invitations sans tenir compte de mes douleurs au ventre. Quand, enfin, j'ai fait une fausse couche, il

m'a laissée aller seule à l'hôpital. À mon retour, il a été de nouveau charmant.

Après notre séparation, j'ai découvert que ses autres phases de violence correspondaient aux moments où il me trompait ou avait envie de le faire. Les reproches incessants qu'il me faisait le déculpabilisaient et justifiaient sa tromperie.

L'angoisse d'abandon et la dépendance

Leur tension interne est liée également à leur peur infantile d'être abandonnés. Aussi, toute situation évoquant une séparation suscite chez eux des sentiments de peur et de colère. Cela les rend ombrageux, irritables et jaloux, et ils rendent leur femme responsable de leur malaise interne. L'angoisse d'abandon n'est contenue que par un contrôle permanent sur le partenaire et peut ensuite éclater par une crise de jalousie aveugle et dévastatrice. Or cela constitue un cercle vicieux car, en déchargeant leurs tensions sur leur compagne, ils créent les conditions pour qu'elle les quitte, mais, en même temps, ils ne peuvent pas se séparer d'elle. Cela entraîne les comportements changeants que nous avons décrits.

Leur comportement violent a pour but, à certains moments, de maintenir la femme à sa place, de façon à ne pas se sentir dépendants affectivement d'elle, tandis qu'à d'autres moments, paniqués à l'idée d'être quittés, ils tentent de se faire pardonner et induisent chez leur compagne un comportement réparateur.

On peut se demander pourquoi les hommes ont plus que les femmes la crainte d'être abandonnés. Le même phénomène se retrouve après la séparation quand ceux-ci, incapables d'être seuls, font en sorte de retrouver rapidement une autre femme. Alors que les femmes luttent pour acquérir leur indépendance, la plupart des hommes ont du mal à être seuls.

La relation fusionnelle

Beaucoup d'hommes ne connaissent pas la bonne distance qui permet une relation saine, ils recherchent la fusion avec leur compagne. Craignant d'être abandonnés, ils établissent une relation où les deux ne font qu'un, sans espace pour respirer, sans position de recul.

> Mon mari n'est pas dans l'amour partagé mais dans la possession. Il n'existe pas de limites entre lui et moi. Il essaie de m'amalgamer à lui, de me capter. Je ne supporte pas cette mainmise sur moi, alors je me raidis.

L'homme violent vit alternativement sa conjointe comme inexistante, et il n'y a donc pas lieu de la prendre en considération, ou bien comme trop envahissante et, dans ce cas, il la critique, la rabaisse. Pris entre la peur de la proximité et de l'intimité, et la peur d'être abandonnés, ces hommes éprouvent en eux-mêmes un sentiment d'impuissance, qui les conduit à exercer leur pouvoir, à l'extérieur, sur leur compagne.

Tout est un problème de distance : trop de proximité les inquiète car ils le ressentent comme un risque d'engloutissement, tandis qu'une trop grande distance réactive leur peur de l'abandon. Pour se sentir bien, il faut donc qu'ils puissent contrôler, à tout instant, à quelle distance d'eux leur compagne doit se tenir. Ils confondent amour et possession. Or l'amour n'est pas possession, mais échange et partage. Quand un homme dit à une femme : « Je te veux toute à moi ! », cela peut signifier le désir ; ce peut être aussi : « Tu m'appartiens et tu n'existes pas sans moi », et dans ce cas, si elle s'éloigne, elle risque fort d'être punie. La passion est alors un alibi pour justifier le dérapage de la violence.

> Je suis comme un tuteur pour mon mari. Je lui permets de grandir. Il s'est enroulé autour de moi comme un lierre et, petit à petit, il m'a étouffée.

Dans ces relations fusionnelles, où les deux partenaires se vivent comme un tout, le moindre changement chez l'un met en péril le couple, et le partenaire fragilisé s'efforce, au besoin par la violence, de rétablir l'équilibre compromis.

Quand, dans un couple, la femme materne l'homme, il y a fort à parier que la venue d'un enfant va mettre en péril l'équilibre psychique de ce dernier et le conduire à réagir, parfois, par des comportements violents. Si la femme semble être trop fusionnelle avec son enfant, l'homme peut se sentir frustré et essayer de reprendre le pouvoir par tous les moyens.

La puissance apprise

Le parcours des garçons est différent de celui des filles. Dès la naissance, il est plus valorisant d'être de sexe masculin ; d'ailleurs, dans certains pays, on se débarrasse encore des petites filles à la naissance. Pour beaucoup, la masculinité, c'est la capacité de s'imposer, de défendre ses droits, d'être brave et fort. Cela se passe sur le terrain du pouvoir, de la domination, de la possession et du contrôle.

La société prépare les garçons à occuper un rôle dominant ; or, quand ils sortent des jupes de leur mère, ils prennent conscience qu'ils sont bien impuissants dans le monde extérieur. Ils ont cru qu'ils étaient tout, ils constatent qu'ils sont bien peu de chose ; or ils ne peuvent pas montrer leur vulnérabilité car on a censuré, chez eux, les expressions de faiblesse, comme les larmes. Quand les femmes sont débordées par la pression, il leur reste la possibilité de pleurer, de demander de l'aide, mais, face à leur impuissance, les hommes supposés être forts, solides, n'ont souvent pas d'autre recours que la colère ou la jalousie, car ce sont les seules émotions qu'ils n'ont pas appris à contrôler.

Notre société prône l'efficacité et la réussite, il faut être le meilleur et tout est permis pour y parvenir ; c'est pourquoi on s'attend à ce qu'un homme se montre agressif dans certaines circonstances. Sous prétexte de compétitivité, dans certaines professions, on apprend à être cynique et on valorise le manager qui ne fait pas de sentiment. Dans un monde voué à la performance, il n'est pas de bon ton de montrer sa vulnérabilité. Si la femme se doit d'être « féminine », l'homme, quant à lui, est contraint de se plier aux codes de la « virilité ». Selon Christophe Dejours[1] : « La virilité se mesure précisément à l'aune de la violence que l'on est capable de commettre contre autrui, notamment contre ceux qui sont dominés, à commencer par les femmes. »

Ces stéréotypes d'hommes forts, virils, puissants sont parfois lourds à porter et certains hommes ne

1. Dejours C., *Souffrance en France*, Paris, Seuil, 1998.

trouvent pas d'autre moyen pour masquer leurs faiblesses que d'écraser plus faible qu'eux, à savoir leur femme. Or, depuis quelques décennies, les schémas traditionnels de l'homme au travail et de la femme à la maison se sont modifiés, et, confrontés aux mutations en cours, certains hommes se sentent en insécurité, dans des relations plus égalitaires, craignant de perdre leur masculinité. La prise d'autonomie des femmes peut être vécue par certains comme une dépossession, une perte de pouvoir, mais aussi comme une perte de valeur personnelle et donc d'estime de soi.

Or, nous l'avons vu, les femmes, pour combler leur insécurité intérieure, en font souvent trop. Non contentes de travailler et parfois même de réussir brillamment, elles continuent à gérer le quotidien familial, s'occupant de la maison et des enfants. Si l'homme se sent trop fragilisé et que la femme réussit trop bien, il arrive que l'homme se sente attaqué et devienne violent.

Dans un monde qui prône l'individualisme et la performance, il faut assurer et, si on n'y parvient pas, il faut en donner l'illusion. D'où une consommation de plus en plus importante de médicaments ou de drogues destinés à améliorer les performances. L'addiction est un moyen de lutter contre la dépression et aussi d'éviter les conflits en les remplaçant par des comportements compulsifs. Effectivement, un changement se dessine dans nos cabinets de consultation ; les hommes viennent nous voir pour des difficultés liées à l'impuissance, à la peur de ne pas y arriver ou de ne pas être à la hauteur. Ils ont l'impression qu'une charge trop lourde pèse sur leurs épaules et ils peuvent avoir la tentation de s'en débarrasser par de l'agressivité. Selon Ehrenberg[1], de nos jours les hommes sont confrontés à une maladie de la responsabilité, dans laquelle domine le sentiment d'impuissance : « L'homme est confronté à une pathologie de l'insuffisance plus qu'à une maladie de la faute. »

Face aux femmes, qui assument de plus en plus de choses tant au foyer qu'à l'extérieur, certains hommes peuvent ressentir de l'envie. Cette envie peut être renforcée et aboutir à des représailles, si la compagne se montre trop bienveillante, trop parfaite, si elle en fait trop. Ce sont ces mêmes hommes qui sauront se transformer en agneau face à une femme sachant les « mater ».

Ces hommes que les stéréotypes culturels continuent à décrire comme forts, puissants, solides, ne se sentent pas à la hauteur face à une société qui leur demande toujours plus. On peut alors parler d'une difficulté liée à leur *puissance apprise.* Tout comme les femmes ont du mal à se sortir du stéréotype du sexe « faible », les hommes résistent mal à la pression et surtout aux frustrations que l'on fait peser sur eux. Certains acceptent leur part féminine, d'autres dépriment, d'autres encore réagissent violemment. Bien entendu, ceux qui sont les plus affectés par ces changements de société sont ceux qui ont une image grandiose d'eux-mêmes, c'est-à-dire les personnalités narcissiques. Leur violence peut être interprétée, au même titre que la toxicomanie ou la délinquance,

---

1. Ehrenberg A., *La Fatigue d'être soi,* Paris, Odile Jacob, 1998.

comme la marque de notre époque, où le moi est fragilisé, déstructuré par l'absence de repères éducatifs ou de valeurs morales. Cette violence serait une caricature de l'affirmation de soi. Pour être un battant, on croit qu'il faut battre les autres.

LA VIOLENCE DANS LES COUPLES GAYS ET LESBIENS

La violence de couple n'existe pas seulement dans les couples hétérosexuels.

En 1990, dans une enquête américaine[1] faite auprès de femmes lesbiennes, il leur était demandé si elles avaient déjà subi de la violence verbale, sexuelle ou physique de la part de leur partenaire. Sur les 350 femmes contactées, on a obtenu 170 réponses : 120 femmes ont répondu soit qu'elles avaient été victimes, soit qu'elles avaient eu elles-mêmes des comportements violents. Sur ce total de 170 femmes, 136 avaient été également en couple avec des hommes. Il leur a été demandé si elles avaient subi plus de violence avec des hommes qu'avec des femmes. Une majorité de femmes rapporta avoir subi plus de violence de la part de leur compagne que de la part de leur compagnon (57 % ont subi de la violence par des femmes et 42 % par des hommes). Il apparaît dans cette étude que la dépendance affective ou la jalousie était le déclencheur principal de la vio-

1. Renzetti, C. M., *Violent Betrayal : Partner Abuse in Lesbian Relationship*, Newbury Park, CA Sage, 1992.

lence physique. Néanmoins, il faut nuancer ces chiffres car les femmes qui sont en couple avec une autre femme, après avoir vécu en couple hétérosexuel, disent souvent que la relation est « autre ». Elle leur apparaît plus conforme et plus tranquille avec un homme, et plus passionnelle avec une autre femme.

Aux États-Unis, un groupe de vingt-cinq associations travaillant avec le National Gay and Lesbian Task Force a créé un programme de lutte contre la violence dans les groupes homosexuels, le NCAVP (National Coalition of Antiviolence Program). Leurs études donnent des chiffres de violence dans le couple homosexuel similaires à ceux des couples hétérosexuels, mais certains tendent à penser que ces chiffres sont sous-estimés[1].

La première étude sérieuse sur ce sujet a été faite, en 2002, sur 3 700 hommes gays[2]. Elle utilisait la *Conflict Tactics Scale* pour interroger les hommes sur la violence physique et psychologique qu'ils avaient connue, lors d'une relation avec un autre homme. Les chiffres se sont révélés inquiétants : deux gays sur cinq ont vécu de la violence. Les hommes jeunes, étant plus vulnérables, sont plus exposés.

Si l'on compare avec des femmes hétérosexuelles, selon cette étude, celles-ci souffrent d'une violence continue, pendant plus longtemps, et par le même

---

1. Fundación Triángulo por la igualdad social de gais y lesbianas.
2. Greenwood, Relf, Huang, Pollack, Canchola, Catania, « Battering victimization among a probability-based sample of men who have sex with men », *American Journal of Public Health,* vol. 92, n° 12, décembre 2002.

homme, tandis que les hommes homosexuels disent subir une violence plus brève et plus intense.

En Europe, aucune étude spécifique n'a été réalisée chez les gays et les lesbiennes.

Le processus de domination

Au Québec, depuis 1995, la politique d'intervention en matière de violence conjugale inclut les lesbiennes comme une réalité particulière d'un même processus de domination. Elle estime que les lesbiennes ne vivent pas en dehors de la société et peuvent refléter, dans leurs relations, des attitudes et des comportements qui existent tout autour. Sous prétexte qu'elles sont deux femmes, le mythe de la violence mutuelle, « nous sommes aussi violentes l'une que l'autre », sert souvent à dédouaner une lesbienne violente ; pourtant, il s'agit incontestablement d'un processus de domination.

Les propos, les injures, les gestes violents sont les mêmes que dans les couples hétérosexuels, mais, en plus, la conjointe violente peut faire du chantage et menacer de dévoiler l'orientation sexuelle de sa compagne à ses amis ou à sa famille, voire à ses enfants, si elle projette de partir. Par ailleurs, pour une lesbienne, il est encore plus difficile de sortir d'une relation violente car elle peut plus rarement compter sur le soutien de ses parents, si ceux-ci désapprouvent son orientation sexuelle.

« Quoi qu'on en dise, il y a, dans la communauté, un certain discrédit rattaché au fait d'avoir été violentée. Parce qu'elle sait ce que c'est que d'être lesbienne, une lesbienne pourra aussi hésiter à traduire son amante en justice. Elle peut craindre aussi, à juste titre, les railleries et les humiliations tout au long du processus[1]. »

En effet, le contexte de discrimination et d'homophobie sociale s'ajoute à la difficulté qu'ont toutes les victimes pour sortir de cette situation de violence. Les familles ont tendance à tout expliquer par l'orientation sexuelle.

L'entourage homosexuel, cherchant à protéger la communauté, hésite parfois à reconnaître la réalité des faits, et un homme ou une femme victime de la violence d'un compagnon du même sexe aura des difficultés à trouver de l'aide dans son réseau.

En outre, sur le plan de la protection légale, aux États-Unis, lorsqu'une femme est victime de violence physique de la part de son partenaire homme, tout objet utilisé est reconnu comme une arme, ce qui ajoute à la sentence. Ce n'est pas le cas si l'agression est commise par un partenaire de même sexe. Dans beaucoup de pays européens, on ne peut obtenir une sentence d'éloignement dans le cas d'un couple homosexuel.

Certaines féministes lesbiennes objectent que les couples homosexuels sont obligatoirement plus égalitaires car chacun y exerce le rôle qui lui convient. Le modèle est négociable d'un couple à l'autre ou d'un jour à l'autre, et cette marge de choix diminuerait le degré de violence. De plus, puisqu'il n'y a pas de mariage, la relation peut prendre fin plus facilement. Elles disent également que c'est le modèle imposé socialement qui fait qu'un individu veut toujours avoir le pouvoir sur

---

1. Site GIVCL, groupe d'intervention en violence conjugale chez les lesbiennes, www.givcl.qc.ca.

l'autre, même au sein de relations intimes, sexuelles et affectives.

Si l'on suit la thèse féministe, qui explique la violence faite aux femmes par la domination masculine, on aurait pu penser que le phénomène serait une exception dans les couples de lesbiennes. Il n'en est rien. On peut donc considérer qu'il existe les mêmes enjeux de pouvoir, quel que soit le couple. Cela conforte l'idée que la violence au sein d'une relation intime n'est pas liée uniquement à la domination des hommes sur les femmes, mais aussi à la spécificité de ce type de relation où il est facile de jouer sur l'affect, les sentiments, le lien.

DES PROFILS DE PERSONNALITÉ PARTICULIERS ?

*L'envie et la haine s'unissent toujours
et se fortifient l'une l'autre dans le même sujet.*

La Bruyère

Il faut faire très attention, en parlant des profils de personnalité, à ne pas stigmatiser un type d'hommes. En effet, plutôt que d'établir une typologie, il vaudrait mieux s'intéresser aux modalités d'agressions selon les caractéristiques psychologiques de leurs auteurs.

Certains spécialistes de la violence conjugale ont proposé une distinction entre les individus matures/immatures, ces derniers étant ceux qui n'auraient pas encore intériorisé le sens de la loi, mais il me semble que, plus qu'une question de maturité, les distinctions correspondent à des structures psychiques différentes.

Il importe de ne pas mettre tous les hommes violents dans le même sac : certains sont violents ponctuellement, en réaction à un événement extérieur, d'autres en font leur quotidien. Pourtant, même si on ne peut pas comparer un violent occasionnel à un grand psychopathe qui cogne dès qu'il est frustré et contrarié, toute violence à l'encontre d'un être plus faible est inexcusable. Aussi, tout acte de violence doit-il être pris en considération et analysé, ce n'est jamais anodin.

Même si certains se refusent à établir les profils psychologiques des individus violents, sous prétexte que ce ne sont pas des malades mais des délinquants qu'il faudrait sanctionner, il me semble, quant à moi, que mieux connaître le fonctionnement de ces personnes peut permettre une meilleure prise en charge thérapeutique pour certains d'entre eux, et surtout aider leurs partenaires à mieux se protéger des pièges de la relation. En effet, selon la structure psychique de son partenaire, ce ne sont pas les mêmes points qui vont retenir la victime et l'empêcher de réagir.

Nous parlerons plus souvent des hommes, mais nous n'oublierons pas les femmes violentes : elles possèdent les mêmes traits de caractère, aussi, les mêmes mécanismes se mettront en place. S'ils ont un même problème psychologique, hommes et femmes vont avoir un même niveau de violence ; simplement, elle ne s'exprimera pas de la même façon.

Nous décrirons des « profils » de violents et non des « pathologies ». Certes, il existe des hommes violents en raison d'une pathologie psychiatrique, mais, dans la plupart des cas, les individus violents sont des personnes « normales » et non des malades mentaux irresponsables de leurs actes. Il est vrai que certaines recherches, portant sur des hommes sous obligation de soins, donnent des chiffres importants de troubles psychiatriques, mais ces études portent sur des hommes qui ont été violents physiquement et dont l'agression a été suffisamment grave pour parvenir jusqu'à la justice, les autres, n'ayant aucune demande, ne consultent pas. Comme 10 à 30 % seulement des femmes portent plainte, nous, psychiatres, ne voyons que les cas les plus graves. Il semble, au contraire, qu'il n'y ait pas plus de malades mentaux chez les hommes violents que dans la population générale.

Pour chaque profil psychologique, il est important de différencier la violence impulsive, où l'homme contrôle mal ses colères et ses émotions, de la violence instrumentale, où les conduites agressives sont exécutées froidement, dans le but de blesser.

Pour simplifier, nous pouvons dire qu'il y a, d'un côté, toutes les personnalités narcissiques parmi lesquelles certains sont impulsifs (les psychopathes et les borderline), d'autres sont instrumentaux (les pervers narcissiques). D'un autre côté se trouvent les personnalités que je qualifierais de rigides, avec essentiellement les obsessionnels et surtout les paranoïaques.

D'autres types de personnalité peuvent avoir recours à la violence ponctuellement, mais ce sera beaucoup plus souvent en cas de fragilité psychologique passagère et, dans ce cas, ces personnes tireront rapidement bénéfice d'une prise en charge psychothérapeutique, individuelle ou en groupe. Par ailleurs, certains hommes immatures se comportent comme si leur relation de couple n'était qu'une relation amoureuse passagère et en attendent une satisfaction immédiate, sans chercher à s'investir et à résoudre les difficultés ou les conflits autrement que par la force ou la violence.

Il faut, par ailleurs, tenir compte du fait que la personnalité d'un individu n'est pas figée une fois pour toutes, qu'elle connaît des changements et des phases. De plus, certains individus ne présentent pas des traits de personnalité aussi clairement distincts que ce que nous allons décrire, mais plutôt des formes mixtes.

Les personnalités narcissiques

Alors que le narcissisme normal est à la base de notre identité propre, nous inspirant nos idéaux et nos ambitions, le narcissisme pathologique est grand pourvoyeur de violence. Il conduit le sujet à devenir prédateur, à empiéter sur le territoire psychique de l'autre, à utiliser ses faiblesses ou vulnérabilités afin de mieux se rehausser.

Les individus qui ont une personnalité narcissique ont le besoin d'être admirés, ils sont mégalomanes, intolérants à la critique, dépourvus d'empathie, indifférents aux autres et capables de les exploiter. Du fait de leur mégalomanie, ils se présentent comme moralisateurs, donnant des leçons de probité aux autres. Ils savent mieux que quiconque ce qui est bien et ce qui est mal, et dénoncent la malveillance chez autrui. Afin de se maintenir dans la toute-puissance, ils passent leur temps à critiquer tout et tout le monde, n'admettent aucune mise en cause et aucun reproche. Quand quelque chose de négatif leur arrive, ils tendent à en attribuer la responsabilité aux autres.

Dans le couple, les hommes sont dominateurs et séduisants, et cherchent à soumettre et à isoler leur compagne.

Les psychanalystes notent un accroissement des pathologies narcissiques dans leur clientèle. Ces patients consultent parce qu'ils sont angoissés ou dépressifs mais, surtout, parce qu'ils se sentent chroniquement vides. Cependant, ils ont le plus grand mal à parler de leurs affects douloureux qu'ils n'arrivent pas à se représenter et qu'ils préfèrent oublier.

Les narcissiques sont prisonniers d'une image tellement idéale d'eux-mêmes que cela les rend impuissants et les paralyse. Ils ont donc en permanence besoin d'être rassurés par autrui, au point d'en devenir dépendants. Étant éternellement insatisfaits, jamais comblés intérieurement, ils réagissent par de l'agressivité, des impulsions ou des passages à l'acte violents. Ils ne sont pas demandeurs d'amour, mais d'admiration et d'attention, aussi ils utilisent le partenaire tant qu'il les valorise et le jettent, quand celui-ci cesse d'être utile.

Quand une personnalité narcissique agresse, elle inflige à l'autre le traitement dont elle a elle-même le plus peur. Il s'agit très souvent de réparer une blessure secrète et d'obtenir ainsi une revanche sur un passé humiliant. Le problème vient de ce que, chez ces individus, tout échec peut être vécu comme une atteinte personnelle. Dans ce cas, toute autre personne, trop lucide ou trop critique, devient un agresseur potentiel et doit être anéantie. Il ne s'agit pas d'une crise de folie, où l'on est « hors de soi », mais, bien au contraire, d'un acte délibéré, destiné à blesser.

Tout individu normalement névrosé peut réagir avec colère face à une situation blessante, mais l'estime de soi d'un individu narcissique ne se nourrit que du regard de l'autre, sans l'autre, il n'est rien. Nous l'avons dit, un narcissique recherche la fusion, il a besoin d'englober l'autre, de le contrôler, de faire de lui un miroir réfléchissant uniquement une bonne image de lui.

Les personnalités antisociales ou psychopathes

Dans les classifications anglo-saxonnes, ces individus sont décrits comme antisociaux, alors qu'en France on dira plus volontiers qu'ils sont psychopathes. Dans ce groupe, on trouve nettement plus d'hommes que de femmes. Étant incapables de se conformer aux normes sociales, ils ont souvent des ennuis avec la justice et il n'est pas rare qu'ils aient un casier judiciaire car ils sont également violents à l'extérieur du couple.

Selon J.R. Meloy, « on peut concevoir les psychopathes comme des narcissiques agressifs[1] ». Ils se présentent comme des durs, insensibles à la douleur, et se vantent d'écraser les autres, d'être les plus forts. Ils se méfient de leurs émotions ; chez eux, les sentiments tendres ou chaleureux sont des signes de faiblesse. Ils aiment tromper, par profit ou par plaisir, et n'hésitent pas à mentir ou tricher et à manipuler l'autre, sans aucun scrupule. En raison de leur irresponsabilité persistante, ils ont du mal à assumer un emploi stable ou à honorer des obligations finan-

---

1. Meloy J.R., « Antisocial personality disorders », in *L'Évolution psychiatrique,* Les Psychopathies, octobre-décembre 2001.

cières, mais il peut cependant arriver qu'ils réussissent dans les affaires, en se maintenant toujours à la frontière de la légalité.

Ces êtres impulsifs vivent dans l'instant, dans la satisfaction immédiate de leurs désirs. Ils cherchent à obtenir ce qu'ils veulent, immédiatement, par n'importe quel moyen mais, de préférence, par la force.

Le passage à l'acte agressif constitue chez eux l'unique possibilité d'expression de leur tension intérieure, qui est souvent liée à une histoire infantile traumatique.

À la différence des pervers narcissiques, dont nous parlerons par la suite, leur violence est avant tout impulsive, liée à une irritabilité permanente ou une agressivité à fleur de peau. Ils sont prêts à se battre à la moindre alerte.

> Franck est un homme tendu aux mouvements brusques. Quand il parle, il attrape un objet et le tord. Il dit qu'il essaie en permanence d'être cool, mais qu'il n'y arrive pas, à moins d'avoir l'impression de s'abaisser. Il ressasse en permanence toutes ses difficultés relationnelles. Dès que quelqu'un s'oppose à lui, il a envie de lui « claquer la gueule ».
> Sur le plan professionnel, il s'est mis plusieurs fois en difficulté, en réagissant de façon excessive, quand un obstacle se présentait. C'est ainsi qu'il a attrapé par le col son supérieur hiérarchique qui refusait de lui accorder une augmentation.
> Il a connu de nombreuses ruptures dans sa vie privée et ses liaisons se sont la plupart du temps terminées de façon brutale. Chaque

fois qu'il a été en couple, même s'il multipliait les aventures extraconjugales, il s'est montré possessif avec sa compagne, étant prêt à « casser la figure » à tout homme la regardant de trop près.

Actuellement, il vit une relation intense avec une femme qu'il a arrachée à sa famille, mais, maintenant qu'elle lui est acquise, il peut rester des semaines sans lui donner de nouvelles ou bien débarquer chez elle à l'improviste et exiger qu'elle soit entièrement disponible pour lui. Un jour où elle avait eu le tort de recevoir un coup de téléphone d'un collègue en sa présence, il a tout cassé chez elle, avant de lui imposer un rapport sexuel.

Ce qui caractérise ces hommes, c'est un défaut de réponse émotionnelle ou bien des réponses émotionnelles superficielles. Des études ont montré qu'en cas de dispute violente, contrairement aux autres individus qui ont le cœur qui bat plus vite, la respiration qui s'accélère et l'estomac noué, les réactions internes des psychopathes restent extrêmement maîtrisées. On note même chez eux un ralentissement du rythme cardiaque. Cela explique que ces hommes sont incapables d'imaginer la douleur ou la peur chez un tiers et, à plus forte raison, chez la femme qu'ils violentent. Inaccessibles à la culpabilité, ils n'éprouvent aucun remords et ne se remettent pas en cause. Ils ne tirent aucun enseignement de leurs erreurs passées.

L'origine de la psychopathie serait à rechercher dans l'histoire familiale du sujet. Selon John Bowlby, « la psychopathie serait une forme de détachement extrême issue des frustrations chroniques que connaît un enfant en bas âge, lorsqu'il est contrarié dans ses besoins d'intimité et de proximité ».

On retrouve, dans l'enfance de ces individus, soit une absence de père, soit un père abuseur. On peut considérer leurs conduites déviantes comme une adresse à un père manquant.

La violence des psychopathes peut être redoutable et conduire à un homicide ; c'est donc la peur qui retient leur partenaire.

Généralement, ils n'ont aucune demande de psychothérapie car ils considèrent qu'ils sont forts et n'ont pas besoin d'aide. S'ils consultent, c'est soit sur injonction thérapeutique, soit sous la pression de leur entourage parce qu'ils se sont mis en difficulté. Néanmoins, comme ils répugnent à se remettre en question, les thérapies n'amènent que rarement un changement notable.

Les « borderline » ou états limites

Sur le plan psychopathologique, ce sont des personnes qui sont diagnostiquées au départ comme névrosées, mais certains aspects de leur personnalité ou de leur fonctionnement mental révèlent une profonde perturbation de leur identité, proche de la psychose.

Dans la vie courante, ils se présentent comme des adolescents en proie à d'incessantes vicissitudes existentielles. Ce qui domine chez eux, c'est une sensation quasi permanente de vide intérieur, d'irritabilité et de rage froide flottante. Leurs réactions émotionnelles sont intenses et instables, avec des sautes d'humeur imprévisibles et une grande impulsivité pouvant entraîner des comportements agressifs.

Leurs relations aux autres sont potentiellement conflictuelles et ils ont tendance à décharger leur tension interne par des actes destructeurs. Toute expérience qui renvoie à une insatisfaction ou à un manque, éveille chez eux une envie de détruire l'autre et les liens qui les lient. D'une façon générale, ces individus résistent mal aux frustrations, qui déclenchent chez eux des rages ou des colères intenses et inappropriées.

Très sensibles aux réactions négatives de leur entourage, ils sont très susceptibles, prompts à déceler du mépris ou de la désapprobation dans une remarque de leur partenaire et, comme ils craignent le rejet, ils prennent les devants et rejettent avant d'être rejetés.

Au moindre affront, ils réagissent par des explosions de colère disproportionnées.

Ils ont une immense demande affective, mais, si le partenaire se rapproche trop, ils craignent d'être aspirés dans la dépendance et réagissent alors avec violence. Comme ils ont du mal à être seuls et qu'ils craignent l'intrusion, ils préfèrent le groupe de copains, la bande d'amis à la relation de couple.

Leur perception des autres alterne entre des positions extrêmes : soit l'autre est passionnément aimé, idéalisé, soit, s'il a eu le malheur de prendre un peu de distance ou de se montrer critique, il est violemment dévalorisé puis rejeté. Ils présentent une forte ambivalence envers ceux dont ils sont dépendants.

Si ces individus craignent la fusion qui pourrait leur faire perdre leur individualité, ils craignent également de ne plus contrôler leur psychisme, ce qu'ils traduisent souvent par l'expression « péter les plombs ». Pour juguler alors leur angoisse diffuse et pour réduire leurs tensions émotionnelles, ils peuvent avoir recours aux toxiques, alcool ou drogue, ou avoir des comportements suicidaires ou des gestes de mutilation.

C'est chez ce type de personnalité que l'on va retrouver les cycles de violence, tels qu'ils sont habituellement décrits. En effet, ils présentent une double personnalité : ils peuvent être charmants pendant les phases de séduction et de contrition, mais ils sont inquiétants, parfois terrifiants, lorsqu'ils laissent éclater leur violence.

• Pendant la première phase de montée de la tension, l'homme se sent déprimé, irritable, et ressent un malaise psychique qu'il ne sait pas formuler. Il peut alors tenter de calmer sa tension par la prise d'alcool ou de drogues. Il peut aussi compenser par de l'hyperactivité. Généralement, à ce stade, il rejette sa partenaire car il imagine qu'elle ne le comprend pas.

• La phase d'explosion de violence n'est pas une attaque dirigée directement contre l'autre, mais un moyen de décharger une angoisse interne. Le passage à l'acte joue le rôle de soupape de sécurité, de système de régulation. Pendant cette crise, l'homme présente un état dissociatif, fait de rage ou de fureur, il est dans une grande excitation physique. Cette explosion de violence physique peut parfois le conduire à un homicide, mais c'est par manque de contrôle, « par accident », dirait-il.

Benoît est en colère de façon perpétuelle et il se déchaîne en violence, chaque fois que sa femme lui fait une remarque ou un reproche. Lorsqu'il est en rage, Benoît décrit une sensation d'étouffement, un trop-plein qui se décharge, un moment où il est « saisi » et a l'impression de ne plus pouvoir s'arrêter. Il frappe et, en même temps, il est malheureux de frapper.

• Pendant la phase de rémission du cycle de la violence, ces individus sont capables de manifester une fragilité, feinte ou non, qui pourrait donner à croire que ce sont eux les victimes. Comme ils manifestent souvent une extrême souffrance psychique, ils réussissent à émouvoir le/la partenaire qui n'a de cesse de soutenir et réparer cet être fragile. C'est par cette attitude de contrition dans la phase « lune de miel », dont nous avons parlé auparavant, que la partenaire est retenue car elle reprend espoir.

Mon mari a toujours été difficile, soupe au lait mais depuis la naissance de notre fils, il se montre particulièrement méchant et agressif à la maison. On n'est jamais très loin de la violence physique. Parfois, sans que l'on puisse deviner pourquoi, il y a une amélioration pendant plusieurs jours. Malheureusement, il semble que les répits soient de plus en plus courts. Il s'énerve pour un rien, contre moi, contre notre fils, et mes explications ou justifications ne font qu'aggraver les choses. Quand il est en rage, son visage est défiguré par la colère. J'ai peur et, à ce moment-là, je suis prête à tout accepter pour qu'il se calme.

Par leurs changements émotionnels rapides, ils induisent, chez leur partenaire, des réactions intenses de compassion ou d'exaspération, d'attirance ou de rejet.

En réalité, ces individus ont une image très dévalorisée d'eux-mêmes ; ils essaient de la restaurer en cultivant des ambitions démesurées, destinées à conserver l'amour de l'autre. Généralement, ils se définissent par rapport au groupe social auquel ils appartiennent. Ils sont extrêmes ; s'ils ne sont pas tout, ils ne sont rien. Pour se rehausser, s'ils se sentent rejetés, ils peuvent aussi rabaisser l'autre violemment. Ces hommes ont sans arrêt besoin d'être rassurés.

Quand les personnes borderline entreprennent une psychanalyse, c'est pour évoquer la haine qu'elles éprouvent à l'égard de leur mère, leur rage par rapport à une maltraitance réelle ou fantasmée. Dans des moments de fragilité, elles peuvent reporter cette rage sur leur compagne/compagnon, identifié(e) à une mère redoutable.

Les femmes violentes présentent souvent une personnalité borderline.

Julien et Laura sont mariés depuis cinq ans. Laura s'est toujours montrée fantasque, parfois difficile, mais les choses se sont dégradées depuis la naissance de leur fils Arthur. Elle est une bonne mère et même une mère anxieuse, mais il semble que cette naissance ait augmenté sa tension interne.

Elle s'est alors focalisée sur le comportement de sa belle-famille, reprochant, en particulier, à la mère de Julien de n'avoir pas voulu les recevoir « en couple » tant qu'ils n'étaient pas mariés. D'une façon générale, elle estime qu'elle n'est pas suffisamment considérée par la famille de Julien : « Je vis comme un affront le fait que ta mère t'appelle sur ton portable, au lieu d'appeler à la maison et de nous demander tous les deux. » Elle pense que la famille de Julien ne l'aime pas : « Ils ne me font jamais de compliments, ils n'ont pas d'attentions pour moi ! » Elle refuse désormais qu'Arthur soit gardé par sa grand-mère. Pendant des heures entières, elle passe en revue les membres de la famille de Julien, pour les insulter et les calomnier.

Elle critique Julien de plus en plus souvent, se moque de lui, l'insulte : « Espèce de connard, fin de race, pouilleux, pédé. Tu es bête, pas cultivé, tu lis des trucs de merde… »

Quand Julien n'est pas d'accord avec Laura, celle-ci le harcèle en lui posant la même question des dizaines de fois, sous des formes diverses et accompagnées de pressions différentes.

Il est arrivé, plusieurs fois, qu'il retrouve les documents professionnels qu'il avait ramenés à la maison, déchirés. Un jour, c'est son téléphone portable professionnel qu'il a retrouvé dans la machine à laver, comme par accident. À table, un jour où elle avait eu l'impression qu'il ne prêtait pas attention à ce qu'elle disait, elle a renversé violemment son assiette sur la table.

Elle cherche très souvent la confrontation physique : « Je vais te péter la gueule ! » À plusieurs reprises, elle l'a frappé : une claque, un coup dans le dos, une bousculade, un coup de pied au derrière, alors qu'il portait son fils dans les bras. Habituellement, Julien essaie de se contenir, mais il a réagi une fois en lui tordant le bras et se l'est beaucoup reproché.

Laura alterne les menaces et la séduction, les provocations et les apitoiements ou les reproches. Elle menace Julien de séparation et, en même temps, dit que, s'il veut divorcer, elle le lui fera payer. En pleurant et en lui caressant la joue, elle lui annonce qu'elle va alors être obligée de le faire souffrir.

Julien estime qu'il aurait dû donner des limites plus tôt à Laura, mais ce n'est pas dans sa nature de fonctionner comme ça. D'ailleurs, Laura le lui reproche, disant qu'il est trop mou. Il a pourtant pris la décision de divorcer, et, bien sûr, cela a augmenté la violence. Elle menace maintenant de ne pas lui laisser voir son fils ou de monter ce dernier contre son père.

Ce type de personnalité se développe à un stade précoce, à partir d'expériences traumatiques de l'enfance, qu'il s'agisse de maltraitance physique ou émotionnelle ou d'abus sexuel. C'est ainsi qu'on expliquerait leur irritabilité permanente. Nous venons de voir le cas de Laura, qui est une femme, mais, comme on l'a dit, les mêmes traits de caractère existent chez les hommes et les femmes. Selon Donald

G. Dutton[1], spécialiste américain des hommes violents : « Si je devais sélectionner un seul comportement parental susceptible d'engendrer la violence chez les hommes, je choisirais l'humiliation par le père. Il est clair que les pères qui humilient leur fils ont également tendance à se montrer brutaux. »

Si le/la partenaire parle de partir, ils sauront le/la retenir en parlant d'amour mais aussi de leur peur d'être abandonnés : « Tu ne peux pas me faire ça ! »

Ces hommes/femmes sont en principe accessibles à la thérapie, mais leurs demandes sont très ambivalentes car ils sont tiraillés entre un cruel besoin de se faire aider et la crainte d'être rejetés ou de devenir dépendants. À la moindre frustration, ils interrompent la psychothérapie. Ils cherchent en permanence à transgresser les règles afin de mettre le thérapeute à l'épreuve. Aussi ce dernier devra être très prudent pour obtenir un changement, sans trop brusquer le patient.

Les pervers narcissiques

Disons-le tout de suite, il y a autant de femmes que d'hommes pervers narcissiques, mais les hommes profitent en plus du pouvoir lié à leur sexe, ce qui rend leur violence plus destructrice. Ce sont ces personnes qui mettent leur partenaire sous emprise, selon le schéma décrit précédemment.

Les pervers narcissiques ont un meilleur contrôle émotionnel que les personnalités limites ou les psy-

---

1. Dutton D.G., *The Abusive Personality : violence and control in intimate relationships,* Guilford, 1998.

chopathes. Ils sont aussi beaucoup plus manipula-teurs, très adaptés socialement car, comme ils aiment incontestablement le pouvoir et qu'ils sont de fins stratèges, ils parviennent facilement à des postes clés. Quand ils y sont, ils se posent comme donneurs de leçons, tout en n'hésitant pas à s'arranger avec la morale pour parvenir à leurs fins.

Pour se maintenir dans la toute-puissance, ils doi-vent en permanence mentir et manipuler, fonction-ner dans l'imposture. Ils savent adopter un discours politiquement correct, pour mieux intriguer, berner leur entourage et se livrer à des escroqueries.

> Dès le départ, William mentit à Alice sur sa situation professionnelle, son histoire fami-liale et même son identité. Bien sûr, si elle s'était renseignée, Alice aurait pu savoir que son futur mari avait une double nationalité, qu'il avait un enfant d'une précédente union et qu'il n'était pas diplômé d'une grande école, mais elle était amoureuse et elle lui faisait confiance.
>
> Ils se marièrent très rapidement et Alice fut enceinte peu après. Elle eut un autre enfant, l'année suivante. Sous le prétexte de démar-rer une nouvelle vie avec elle, William vou-lut créer une société et lui demanda d'en assurer la gérance. Il fallait pour cela qu'elle quitte son emploi.
>
> Rapidement, Alice s'est retrouvée à assumer non seulement les tâches ménagères et l'édu-cation des enfants, mais aussi toutes les res-ponsabilités professionnelles. William passait son temps au golf ou avec des copains. Lorsqu'elle se plaignait, il l'injuriait et par-

tait en claquant la porte. Par la douceur ou la menace, il s'arrangeait pour obtenir d'Alice ce qu'il voulait. Il disait d'ailleurs, devant elle, à ses amis : « Faites deux enfants à votre femme et vous en ferez ce que vous voulez ! » Lorsque, épuisée et découragée, elle voulut se séparer, il lui fit savoir que, si elle partait, il garderait les enfants et qu'il s'arrangerait pour qu'elle n'ait pas d'argent.

Ce n'est qu'en faisant les démarches pour la séparation qu'elle apprit que, s'il avait voulu qu'elle soit gérante de leur société, ce n'était pas parce qu'il avait confiance en elle, mais parce qu'il n'avait plus le droit d'assurer ce poste en raison de deux faillites antérieures. Elle apprit également, à cette occasion, qu'il avait imité sa signature, pour commettre des escroqueries, et qu'il avait vidé tous les comptes bancaires.

Au départ, Alice ne voulut pas le croire, mais, devant de telles évidences, elle se décida à prendre un avocat. Apprenant cela, il mit en scène un suicide par pendaison, qui terrorisa Alice et la culpabilisa. Aussi, elle tenta un rapprochement. Mais, dès le retour à la maison, après une courte hospitalisation, il se montra à nouveau violent, non seulement avec elle mais aussi avec leurs enfants. Elle profita d'une de ses absences pour prendre la fuite avec les enfants.

Depuis ce jour, Alice n'a plus eu de nouvelles de William. Elle apprit qu'on l'avait vu dans un autre pays. Solidaire des dettes de son mari, Alice se trouva prise dans un imbroglio judiciaire et financier.

Dans la vie quotidienne, ces personnes immatures, égocentriques ont instinctivement un comportement manipulateur, jouant délibérément avec les émotions des autres pour obtenir quelque chose d'eux, afin de mieux les exploiter. Toute erreur ou toute maladresse sera pointée comme venant d'une intention maligne. L'autre est forcément mauvais.

Leur violence est insidieuse, cachée, continue, jouant sur les émotions par des attaques verbales à petites touches (ironie, sarcasmes, moqueries). Les pervers narcissiques sont particulièrement inventifs dans leurs insultes et savent toucher le point faible de l'autre car ils repèrent intuitivement ses fragilités éventuelles. Avec eux, une discussion portant sur la relation est difficile, voire impossible, car ils sont insensibles aux émotions et ne se rendent pas compte de la violence psychologique qu'ils exercent sur leur partenaire. On pourrait même dire qu'ils ne sont pas concernés. Si le/la partenaire parle de son ressenti face à une certaine attitude, ils répondent : « Je ne vois pas de quoi tu veux parler ! » Si le/la partenaire en souffrance insiste, on verra apparaître d'abord de l'agacement, puis des remarques cinglantes, enfin de l'agressivité détournée sur des objets. Le refus de satisfaire les besoins affectifs du partenaire ne correspond pas chez eux à un simple manque d'amour ou de tendresse, mais à un désintérêt absolu pour l'autre qui n'existe pas, ne compte pas, sauf s'il est utile.

> Mon mari est taciturne, sauf quand il est en demande sexuelle. Il ne répond pas quand je parle ou alors il le fait de façon agressive. D'une façon générale, soit il me rejette, ne

me voit pas, je n'existe pas, soit il me considère comme sa chose, me tripote, me manipule, et je me sens transformée en poupée gonflable. Il veut que je sois une partie de lui, que je pense comme lui, même pour les opinions politiques. Je ne le supporte pas. Cela me rend violente verbalement, mais, si je réagis trop fort, cela l'énerve et il finit par me gifler.

La violence des pervers n'est absolument pas impulsive mais, au contraire, instrumentale, dirigée vers un but précis. Elle n'est pas cyclique mais permanente, et il ne faut attendre d'eux ni demande de réconciliation ni excuses. Ils sont calmes et froids, et semblent toujours contrôler la situation. Leur comportement n'est pas conscient et délibéré mais compulsif : ils ont été obligés d'agir comme ça, parce que l'autre l'a cherché.

Contrairement aux états limites qui peuvent déprimer, les pervers narcissiques sont dans l'évitement constant de la dépression. La projection de sentiments négatifs sur l'autre permet de les décharger d'affects difficiles à supporter, comme la dépression ou l'angoisse. Cela leur permet de se protéger intérieurement et de se sentir plus solides, en mettant à bonne distance d'eux ce qui fait mal. Quand ce mécanisme fonctionne bien, ils se sentent apaisés, ce qui leur permet d'être d'une compagnie agréable par ailleurs. D'où la surprise ou même le déni de certains, quand ils apprennent les agissements pervers d'un proche qui n'avait jusqu'alors montré que sa face positive. Les témoignages des victimes ne paraissent pas crédibles.

Chez les pervers, c'est l'envie qui guide le choix du partenaire. Ils se nourrissent de l'énergie de ceux qui subissent leur charme. C'est pour cela qu'ils choisissent le plus souvent leurs victimes parmi des personnes pleines de vie, comme s'ils cherchaient à s'accaparer un peu de leur force. Ils peuvent aussi choisir leur « proie » en fonction des avantages matériels qu'elle peut apporter. Le partenaire n'existe pas en tant que personne, mais en tant que faire-valoir ; il possède les qualités que le pervers essaie de s'approprier. Les pervers absorbent l'énergie positive de ceux qui les entourent, s'en nourrissent et s'en sentent régénérés, en même temps, ils se débarrassent sur eux de leur énergie négative.

La réussite des autres renforce leur propre sentiment d'échec ; ils ne sont donc satisfaits ni des autres ni d'eux-mêmes. Ils se plaignent en permanence, rien ne va jamais, tout est compliqué, tout est une épreuve. Ils imposent à leurs proches leur vision négative du monde et leur insatisfaction chronique.

Leur monde est divisé en bons et en mauvais. Parce qu'ils se sentent impuissants, ils craignent la toute-puissance qu'ils imaginent chez les autres ; ils leur prêtent des intentions mauvaises qui ne sont que la projection de leur propre malveillance. Leur méfiance emprunte des formes quasi délirantes.

Les pervers peuvent se passionner pour une personne, une activité ou une idée, mais de façon très superficielle car ils ignorent les véritables sentiments, en particulier les sentiments de tristesse ou de deuil. Les déceptions entraînent chez eux de la colère ou du ressentiment. Cela explique la rage destructrice et le désir de vengeance qui s'emparent d'eux lors des séparations.

Leur violence s'exprime d'abord de façon sournoise, cachée, et ne devient manifeste que lorsqu'un événement extérieur vient fragiliser leur narcissisme.

Ces individus sont des prédateurs dont la dangerosité tient d'abord dans leur habileté à détruire la capacité de penser de l'autre. Pour s'affirmer, ils doivent déployer leur destructivité et jouir de la souffrance de l'autre.

Pour eux, la femme n'est pas une partenaire, une égale, mais une rivale qu'il faut écraser car ils ne se sentent pas à la hauteur.

Quand Josette est venue me voir, elle présentait l'apparence d'une femme battue. Elle était terrorisée, agitée, anxieuse, tremblait en permanence et fondait en larmes dès que je lui posais des questions. Elle venait de fuir le domicile conjugal pour se réfugier chez sa sœur. Partir avait été un acte spontané, irréfléchi, de survie, mais, maintenant qu'elle était loin, elle avait envie de rentrer, tout en ayant peur des réactions de Serge, son compagnon.

Elle avait rencontré Serge pendant des vacances. À l'époque, elle était solide, réussissait bien professionnellement, et elle avait été séduite par ce grand adolescent, qui avait du mal à trouver sa place dans la société. Elle avait eu envie de l'aider, de le sauver. Ils ont habité ensemble rapidement, ont eu deux enfants, mais, instinctivement, elle a toujours refusé le mariage.

Elle décrit Serge comme un homme emporté, coléreux, changeant, capable de dire une chose, puis, peu de temps après, son contraire.

Dans le couple, c'est Serge qui domine, mais au départ cela convenait à Josette.

Par sa belle-mère, Josette sait que Serge avait été un enfant difficile, faisant des violentes colères. À l'adolescence, il avait même été hospitalisé pour dépression.

Il a besoin de Josette en permanence. Elle est comme une bouée pour lui. Il faut qu'elle soit présente, douce, gentille, agréable, qu'elle le flatte, qu'elle l'admire.

Il a une forte demande sexuelle, mais a besoin d'accessoires de mise en scène. Quand il regarde des films pornos, c'est dans le salon de la maison ; les enfants, furieux, s'en prennent alors à leur mère : « Nous, on n'a pas à voir ça. C'est ta faute, tu n'as qu'à t'occuper de ton mari ! » Il essaie d'inculquer son cynisme à l'égard des femmes à ses fils et aime bien se moquer des « gonzesses ».

Josette pense que Serge est toujours plus ou moins dépressif, mais il ne veut pas consulter. Il est toujours très en colère contre tout le monde, mécontent de tout. Il dit très régulièrement à Josette et aux enfants que sa vie est nulle, mais qu'il est obligé de se sacrifier à cause d'eux. Il ne supporte pas la joie à la maison et, quand Josette et les enfants paraissent trop insouciants, il casse l'ambiance.

Jamais il ne se remet en question. Quand quelque chose ne va pas, c'est toujours Josette qui est responsable. Dès qu'il a une contrariété, il prend de l'alcool et des médicaments, et est alors encore plus désagréable.

Il a commencé à être « réellement » violent à la suite d'un refus sexuel de Josette. Il lui a d'abord donné des claques, puis cassé un objet sur la tête. Elle n'a pas porté plainte, mais elle a consulté un avocat et menacé de partir s'il recommençait. Dès lors, il ne l'a plus jamais frappée, mais la violence verbale et les bris d'objets ont continué.

Serge ne fait absolument pas attention aux autres. C'est ainsi qu'il met le son très fort quand il regarde la télévision, la nuit, même s'il sait que Josette doit se lever tôt pour partir au travail. Il est aussi capable de la réveiller au milieu de la nuit, simplement parce qu'il a quelque chose à lui dire.

Josette n'a aucune autonomie financière car tout son salaire passe dans les frais de la maison et dans les dépenses pour les enfants, tandis que Serge fait virer une partie de son salaire sur des plans d'épargne auxquels elle n'a pas accès.

Serge ne voulait pas d'enfant. Il a cédé aux pressions de Josette, mais il refuse de s'occuper de leur éducation : « Tu les as voulus, tu t'en occupes ! » De toute façon, il n'est pas d'accord avec les méthodes éducatives de Josette. Il aimerait pouvoir frapper ses enfants, comme il a été lui-même frappé. Comme son fils aîné ne travaille pas suffisamment à l'école, il veut le mettre dehors, mais il ne le fait pas, de crainte que Josette ne s'en serve comme prétexte pour partir. Il dit : « Je ne vois pas pourquoi tu perds ton temps avec cet enfant, tu vois bien qu'il ne comprendra jamais rien. »

Serge se plaint beaucoup. Il dit qu'il n'en peut plus, que son travail ne l'intéresse pas, qu'à la maison il est seul, qu'il a envie de tout plaquer. Avec Josette, il est de plus en plus désagréable et menaçant : « Je vais te mener une vie infernale ! » Il lance des vacheries à froid, sans aucune raison. Par exemple, quand elle tend son verre pour qu'il lui serve du vin, il lui verse du sel dedans. Une autre fois, alors qu'elle a mal aux dents, au lieu de la plaindre, il appelle les enfants pour leur dire : « Venez voir, votre mère pourrit de partout ! »

À la maison, il parle beaucoup et, si quelqu'un l'interrompt, il est furieux. Par contre, quand il veut être désagréable, il parle très doucement et lentement, obligeant les autres à tendre l'oreille. Serge s'arrange pour avoir toujours raison : même s'il est pris en flagrant délit de mensonge, il nie.

Josette a l'impression qu'il manipule les enfants pour la piéger : par exemple, si elle va au cinéma avec une amie, il est tellement de mauvaise humeur, tellement odieux avec les enfants, que ceux-ci supplient leur mère de ne plus sortir, pour ne pas « faire d'histoires ».

Josette se demande pourquoi elle a tellement été tolérante avec Serge. Elle constate qu'elle n'a jamais su se défendre et qu'elle a toujours trop accepté. Elle a horreur du conflit, veut toujours protéger tout le monde, comme le faisait sa mère qui les protégeait de leur père, homme sévère, qui criait beaucoup.

Elle a peur de sa propre violence car elle a parfois des bouffées de haine. D'une façon générale, elle oscille entre la rage, la pitié et la peur.

Quand Josette est partie, Serge l'a harcelée pour qu'elle revienne et a demandé aux enfants de convaincre leur mère de rentrer. Lorsqu'elle a essayé de parler de séparation, il l'a coincée matériellement car il ne veut pas donner d'argent pour les enfants : « D'ailleurs, qui me dit qu'ils sont de moi ? » Il menace d'arrêter de travailler pour être insolvable.

Josette est perdue. Elle n'arrive pas à savoir ce qui est mieux pour elle et pour les enfants.

Comme on le voit, ce n'est pas simple de se séparer d'un pervers narcissique. Il faut d'abord sortir de l'emprise dans laquelle on est comme englué. Ensuite, la difficulté à le démasquer vient de ce qu'il n'attaque jamais frontalement mais qu'il procède par allusions, sous-entendus. Une autre difficulté vient de ce qu'il sait se faire apprécier en société. Il donne une bonne image de lui-même et fait en sorte que le conjoint lui-même renforce cette bonne image. Il se montre très fort pour démontrer à l'entourage à quel point le partenaire est « mauvais », qu'il est donc normal de s'en prendre à lui. Parfois, il y réussit et se fait des alliés par un discours de dérision et au mépris des valeurs morales.

Lors des séparations, les pervers narcissiques se posent en victimes abandonnées, ce qui leur donne le beau rôle et leur permet de séduire un autre partenaire, consolateur. Ils peuvent aussi faire du chantage à l'argent, aux enfants, ou menacer de dévoiler des choses intimes.

Il est exceptionnel que des pervers narcissiques en arrivent à un homicide, mais cela ne les empêche pas d'être extrêmement destructeurs et de réaliser de véritables meurtres psychiques car, on l'a dit, ce sont des prédateurs.

La perversion narcissique constitue une contre-indication absolue à une médiation conjugale ou familiale car le médiateur risque fort d'être utilisé pour détruire encore mieux le/la partenaire.

Ces personnalités ne sont absolument pas accessibles aux soins et, d'ailleurs, elles n'ont aucune demande de cet ordre. Quand elles vont voir un psychothérapeute, c'est parce que cela peut avoir une utilité pour elles, par exemple pour se justifier auprès du partenaire ou de la justice. Leur jeu consiste à manipuler le thérapeute.

> Lorsqu'il est venu me voir pour la première fois, Pierre m'a dit : « Mes proches se plaignent de moi. Ma femme m'a offert votre livre et m'a dit que je correspondais à ce que vous décriviez, mon assistante m'a fait le même commentaire. Alors, puisqu'il paraît que vous connaissez cela, je viens pour qu'elles cessent de se plaindre de moi ! »
> Pierre est ingénieur maison. Alors qu'il n'avait pas pu faire d'études, il a néanmoins réussi à grimper tous les échelons et à obtenir un niveau hiérarchique de cadre supérieur. Il vient d'un milieu extrêmement défavorisé et est le seul des quatre enfants à s'en être sorti. Un de ses frères est SDF et sa sœur pratique la prostitution de façon occasionnelle, son autre frère est alcoolique. Les quatre enfants ont été humiliés, maltraités, battus. Lui a eu la chance d'être placé chez

un charcutier qui, en échange de petits travaux, le nourrissait et le logeait.

Pierre a surinvesti la réussite professionnelle, pour cela, il a sacrifié sa vie de couple (ses deux premières femmes sont parties) et sa vie familiale (ses deux filles se sont éloignées). Il n'a pas envie que sa troisième femme parte également et il est prêt à faire quelques efforts pour elle. Par exemple, il a décidé, afin de se rapprocher d'elle, qu'ils prendront des leçons de golf ensemble. Il a tout de suite prévenu sa femme : « Quand je fais une activité, je suis toujours le meilleur. » Il s'est étonné ensuite qu'elle ne soit pas très douée. Quand je lui fais remarquer que c'est le fait qu'il ait déclaré d'emblée être le meilleur qui a découragé sa femme, il se met en colère : « Évidemment, vous prenez la défense d'une femme ! Puisque je vous dis qu'elle est nulle ! »

À la séance suivante, il critique le décor du bureau, ma façon de travailler, de bouger, tout ce que je peux dire est sans intérêt ou incompréhensible. Il est agacé que je ne réagisse pas plus à ses attaques et me dit que je suis nulle en tant que psy. Lorsque je lui dis que je ne suis peut-être pas le thérapeute qui lui convient mais que cela ne remet pas en question ma confiance en mes capacités professionnelles, il est furieux et m'exprime qu'il est très déçu : il avait pensé qu'il trouverait enfin quelqu'un à sa hauteur, mais il constate que je me défile.

Pierre a tellement peu confiance en lui qu'il doit se confronter en permanence aux autres pour montrer qu'il est le meilleur.

Les personnalités rigides

Les personnalités obsessionnelles

Les obsessionnels sont perfectionnistes. Leur goût de la perfection est très utile sur le plan professionnel, même s'ils s'attachent trop aux détails. Sur le plan social, ils sont conformistes et respectueux des convenances et des lois. Sur le plan personnel, ce sont des personnes difficiles à vivre ; exigeantes, dominatrices, égoïstes, avares. Elles redoutent les débordements émotionnels.

Elles se considèrent comme sérieuses et, pour elles, les autres sont irresponsables et inconséquents. Craignant que le/la partenaire dérange leur ordre ou exécute mal une tâche, elles vérifient tout, critiquent tout car elles pensent que leur façon de faire est la meilleure. Elles ne supportent, chez l'autre, aucune singularité. Elles ont besoin de contrôler, argumenter, freiner toute initiative qui ne vient pas d'elles.

Leur violence s'exerce avant tout par la contrainte et dans le registre du pouvoir. Chaque fois qu'il y a un rapport d'autorité, les obsessionnels tenteront de le transformer en épreuve de force. Dans une discussion, ils n'admettent que leur propre version et n'entendent pas les arguments de l'autre. Ils peuvent ruminer longtemps sur la malveillance des femmes : « Elle va voir ! Je lui ferai payer ! »

Habituellement froids et peu démonstratifs, les obsessionnels peuvent ressasser une haine ou une vengeance, puis se déchaîner dans une violence non contrôlée.

François vit avec Isabelle depuis dix ans, mais il n'a jamais voulu s'engager et l'épouser. Sur le plan financier, il n'a jamais rien voulu partager avec elle. Il est propriétaire de l'appartement où ils habitent ensemble, mais c'est « chez lui », et elle n'a pas le droit de décider des aménagements. Il voudrait qu'elle n'ait presque rien dans ses placards, lui-même possédant peu de choses. En ce qui concerne les dépenses quotidiennes, ils partagent tout, même si François gagne nettement plus d'argent qu'Isabelle. Elle n'a donc aucune autonomie financière. Isabelle sait bien que, si François n'est pas généreux, c'est parce qu'il craint en permanence que les autres ne profitent de lui.

À la maison, elle doit faire attention à ne pas salir, ne pas déranger, ne pas faire de bruit. D'ailleurs, il a interdit qu'il y ait un poste de télévision. Si elle veut écouter de la musique, ce ne peut être qu'avec lui.

Dans les dîners, quand elle parle, il lève les yeux au ciel, comme si ce qu'elle disait était idiot. Aussi, elle a renoncé à se mettre en avant en sa présence.

Il est souvent malade et, dans ce cas, il considère qu'il est normal qu'elle s'occupe de lui et le materne. D'une façon générale, il a besoin qu'elle montre en permanence qu'elle pense à lui. Si elle est retenue tard à son travail, elle est sûre qu'il va faire une scène.

François a besoin en permanence de dominer Isabelle. Le plus souvent, elle accepte par facilité, mais, de temps en temps, elle proteste. Dans ce cas, il s'énerve : « Change de crémerie, si tu n'es pas contente ! » et l'injurie. D'une façon générale, il la rend responsable de ce qui ne va pas. Il est particulièrement hors de lui quand Isabelle formule une critique pertinente. Dans ce cas, il déploie une énergie considérable à lui démontrer que c'est quand même lui qui est dans le vrai. Jamais il ne s'excuse.

Isabelle dit que François sait bien que son comportement n'est pas normal puisqu'il ne le montre pas devant les autres. Elle est parfois découragée : « Comment être affectueuse avec un homme qui calcule tout, ses gestes, ses paroles, son argent ? »

C'est à partir du moment où Isabelle a commencé à réagir et à ne pas tout accepter que François est devenu violent physiquement. C'est ainsi qu'un jour où il lui reprochait de recevoir des coups de téléphone le dimanche, elle lui a répondu, sur un ton irrité, qu'il n'avait qu'à dire aux gens de ne pas téléphoner. Cela a mis François dans une colère noire, disproportionnée ; il a attrapé Isabelle, l'a secouée et a voulu la frapper.

Quand il est violent verbalement et qu'elle se ferme, il ne comprend pas qu'elle se taise : « Tu fais la gueule ? » Si elle prend de la distance : « Tu es devenue une femme haineuse ! » Pour maintenir une atmosphère à peu près supportable à la maison, Isabelle doit contrôler tout ce qu'elle dit.

Les obsessionnels peuvent être violents physiquement, mais il y a peu de risque qu'ils en viennent à l'homicide. En effet, leur rage, leur haine restent toujours relativement contenues car ils craignent trop les ennuis que pourrait leur occasionner leur débordement. Leur destructivité est plutôt un laminage quotidien et un contrôle incessant qui épuisent leur partenaire. Pour le ou la retenir, ils feront appel aux normes culturelles partagées par le couple et à des arguments rationnels.

Ils ont volontiers des demandes de thérapie, mais il ne faut pas en attendre un changement radical. Aucune thérapie ne viendra transformer un caractère obsessionnel, mais, en les amenant à être moins stressés, moins angoissés, ils mettront moins de pression sur leur entourage. De plus, puisque ces hommes et ces femmes savent contrôler les autres, ils peuvent aussi apprendre à se contrôler eux-mêmes et à ne pas déraper dans la violence.

Les personnalités paranoïaques

C'est une forme de personnalité relativement fréquente chez les hommes violents, un peu moins chez les femmes violentes.

Ces individus ont en commun leur rigidité et ils redoutent une trop grande proximité affective avec quelqu'un. Chez eux, l'autre est responsable de tout ce qui ne va pas.

Ce sont des individus méticuleux, perfectionnistes, dominateurs, qui s'autorisent peu de contact émotionnel, tout en ayant des relations fortes et tyranniques avec leur entourage. Généralement, ils ont une vision très rigide du rôle de l'homme et de la femme. La femme doit être soumise et, pour cela, ils l'isolent matériellement en l'empêchant de travailler, de gérer l'argent du ménage, de voir ses amis et sa famille.

Ce sont les mêmes qui contrôlent les enfants et qui sont des « petits chefs » au travail.

Avec ces personnes, il n'y a jamais de conversation d'égal à égal car elles se mettent en permanence en position dominante, de celui qui sait.

Un paranoïaque accule l'autre dans ses derniers retranchements. Tout ce que fait l'autre pour désamorcer le conflit est retourné contre lui. Si le partenaire réagit en s'énervant, il est accusé de violence ; si le partenaire essaie calmement de trouver des solutions, il est accusé de calcul. Un paranoïaque ne reconnaît jamais qu'il s'est trompé, parce qu'il ne veut pas que son autorité soit affaiblie.

Ce sont des tyrans domestiques, mais, tant que la femme accepte cette position inférieure, il n'y a pas de problème. Si elle résiste et essaie de s'exprimer, cela enclenche de la violence.

> Hector est un bourreau de travail qui a particulièrement bien réussi dans les affaires. Exigeant pour lui-même, il l'est aussi pour son entourage. Comme il dort peu et qu'il a besoin en permanence d'une assistante, il exige que sa femme se lève tous les matins à 6 heures en même temps que lui, pour lui préparer son café. Il lui a interdit de travailler, disant clairement qu'elle doit être en permanence disponible pour lui.
>
> Quand les choses ne sont pas comme il veut à la maison, il pique des colères : il crie, devient tout rouge, se casse la voix. Il lui est arrivé de frapper sa femme lorsque le dîner n'était pas prêt à l'heure ou pas à son goût.
>
> Pour ne pas avoir de scènes, sa femme accepte tout. Elle sait que, s'il est comme ça,

c'est parce qu'il est fragile et qu'il a besoin que tout soit parfait, pour se rassurer. Elle a de la compassion pour lui. Quand il va mal et qu'il la disqualifie (tu es nulle, moche, et tu n'as plus vingt ans), elle reste cloîtrée chez elle à fumer et à boire du café. « Pourtant, je suis attachée à lui. Quand il est gentil, j'oublie les moments où il me frappe. »

Le paranoïaque tend à attribuer aux autres les défauts qu'il refuse de voir en lui. Il suspecte des significations cachées ou menaçantes dans les commentaires des autres ou à propos d'événements anodins. Le moindre faux pas de l'autre est stigmatisé sans aucune pitié et le paranoïaque est capable de déployer toute une série d'arguments imparables, pour démontrer que celui-ci est dans son tort. Il peut faire preuve d'une mauvaise foi colossale, pour démasquer ce qu'il imagine être les mauvaises intentions de l'autre. Il peut prendre plaisir à mentir, tromper, agresser, mais, malgré tout, il considère que ce sont les autres qui mentent, trompent, agressent. Il garde une image flatteuse de lui-même, se considérant comme irréprochable, alors que les autres sont mauvais.

Comme ces individus se méfient de tout le monde et encore plus de leurs proches, ils cachent leurs émotions, ne se confient pas, craignant que ce qu'ils considèrent comme des faiblesses, c'est-à-dire les sentiments tendres qu'ils peuvent éprouver, soit utilisé contre eux. Ils répriment leurs affects pour se protéger des autres et sont rarement violents hors du foyer car ils ne s'attaquent pas à plus fort qu'eux. Certains se montreront même soumis, voire obséquieux avec ceux qui les dominent, leur supérieur hiérarchique par exemple. Alors qu'ils savent se prosterner devant les puissants, ils sont sans pitié pour les personnes plus fragiles.

Ils rêvent d'un destin grandiose, mais ils sont sans arrêt déçus et amers ; cela ne va jamais bien. Ils se plaignent, ne supportent pas le rire et la bonne humeur autour d'eux.

Se méfiant de tout le monde, ils s'attendent à être exploités, trompés. Ils soupçonnent l'autre de projets hostiles à leur égard, ils sont persuadés que leur partenaire leur dissimule des choses. Bien sûr, dans le couple, ils mettent en doute, en permanence et sans justification, la fidélité du conjoint. Cette jalousie morbide a été qualifiée de « paranoïa conjugale ». Ces hommes contrôlent le temps et l'espace de leur femme : « Où as-tu été ? Pourquoi rentres-tu à cette heure-ci ? » et, surtout, ils s'inquiètent de tout contact avec un autre homme. Beaucoup de femmes disent que leur mari inspecte leur tenue, le matin, et qu'une jupe un peu courte ou un tee-shirt trop moulant peut déclencher une scène.

Cette jalousie est centrée sur le sexe. L'homme prend sa femme pour une aguicheuse qui ne pense qu'à « ça » et lui reproche donc sa tenue vestimentaire ou son maquillage.

> Julien ne se considère pas comme jaloux, pourtant, il surveille Émilie constamment, sa façon de s'habiller, son comportement avec les hommes. Si elle cherche quelque chose sur Internet, il pense qu'elle est sur un site de rencontres ; si elle passe un moment avec une amie dans un café, il considère qu'elle est en train de draguer.

Même si elle aime Julien, Émilie a l'impression qu'il la considère comme une fille facile : « Tu as l'air d'une pute ! », et elle se sent étouffée par sa possessivité. Pour le rassurer, elle se force à avoir des rapports sexuels, même lorsqu'elle n'en a pas envie car, sinon, il risque de penser qu'elle le trompe et de lui faire une scène.

Pour Julien : « J'ai le comportement d'un homme qui aime sa femme et qui veut qu'on la respecte. Vous ne vous rendez pas compte comment les hommes regardent les femmes ! »

Le paranoïaque n'a aucune confiance dans sa partenaire et celle-ci doit donc justifier, à chaque instant, ce qu'elle fait de son temps. Tout est vérifié en permanence : l'argent, le temps, et même les pensées ! Ils craignent tellement d'être abandonnés ou trompés qu'ils interprètent tout en ce sens. Pourtant, il ne s'agit pas d'un délire à proprement parler.

Cette jalousie exacerbée ne se rencontre pas uniquement chez les hommes qui ont une personnalité paranoïaque, les personnalités limites et les psychopathes peuvent être des jaloux redoutables, mais, chez les paranoïaques, la jalousie peut conduire à un homicide. Dans tous les cas, la jalousie est aggravée par la prise d'alcool.

Le risque de passage à l'acte est maximum quand la femme tente de partir, quand elle n'a plus peur de son compagnon et décide de lui tenir tête. Il cesse alors d'être procédurier pour se faire justice lui-même.

Selon une étude américaine de Crawford et Gartner, datant de 1992, 45 % des meurtres de femmes étaient provoqués par la fureur de l'homme s'estimant abandonné par sa partenaire.

Patrick a souvent eu des comportements étranges, monologuant parfois pendant des heures, exigeant de changer les serrures, parce qu'il pensait qu'un voisin voulait le tuer. Mais, ce qui a décidé Yvette, sa femme, à le quitter, ce fut sa jalousie obsédante ; il était convaincu que tous les hommes qu'elle rencontrait étaient ses amants et il pouvait l'interroger pendant des heures pour le lui faire avouer.

Bien entendu, la séparation a renforcé les symptômes de Patrick. Depuis, il la harcèle de coups de téléphone, de messages inquiétants et de menaces de mort.

Yvette a déposé plainte auprès du procureur de la République et plusieurs procédures ont été engagées, mais Patrick s'est toujours soustrait aux expertises psychiatriques.

Tous les professionnels qui l'ont rencontré ont le même diagnostic, mais ils refusent d'intervenir de façon trop ferme, craignant que toute décision allant à son encontre n'active sa paranoïa.

La violence des paranoïaques est sans issue :

Enfant, Caroline a toujours connu la violence de Raymond, son père, à l'égard de sa mère. Sur un fond de tyrannie quotidienne venaient se greffer des crises de violence verbale et parfois de violence physique. Caroline se souvient que, toute petite, elle allait souvent dormir dans la chambre de ses parents, pour éviter que son père ne frappe trop sa mère. Quand la mère de Caroline a eu un cancer, les coups ont continué, pratiquement jusqu'à sa mort. Personne n'a réagi, pas même le médecin de famille qui n'a jamais cru Caroline, parce que Raymond était un notable appartenant à la même confrérie que lui. Caroline n'a jamais compris pourquoi sa mère acceptait tout cela et elle lui en a même voulu de ne pas partir, mais elle n'a réussi à s'élever contre son père qu'aux obsèques de sa mère. Cela s'est retourné contre elle et elle s'est retrouvée isolée dans la famille.

L'appartenance à une communauté intégriste religieuse permet au paranoïaque d'exercer sans limites son intolérance et d'être toujours plus exigeant vis-à-vis de sa femme, n'hésitant pas à maltraiter celle-ci si elle ne partage pas ses convictions.

David est juif, marié à Lena, qui est non juive. David devient très religieux à la mort de ses parents. Ils avaient le projet d'avoir un enfant, mais Lena sent que son mari voudrait maintenant une mère juive pour ses enfants. Progressivement il est devenu méprisant, exigeant avec elle, osant lui reprocher son intolérance, parce qu'elle ne veut pas se convertir. En privé, il ne lui adresse plus la parole, sauf pour l'insulter, et il s'est mis à la vouvoyer à l'extérieur : « Les insultes, ça passe, mais le mépris m'est insupportable. » Comme

201

il a pratiquement cessé de travailler pour organiser son départ en Israël, c'est elle qui doit ramener, seule, l'argent du ménage. Un jour où elle lui faisait des reproches sur une grosse dépense, il lui a dit : « Tu sais que, dans un cas comme ça, un homme a le droit de frapper sa femme ! »

Il arrive que le paranoïaque se transforme en gourou et soumette psychiquement et physiquement sa femme.

Céline a rencontré Rachid, musulman, lors d'une manifestation artistique. Il lui a plu parce qu'il était calme, intelligent, brillant. Contre le gré de ses parents, elle a vendu ses biens pour suivre l'homme qu'elle aimait dans le Midi et elle s'est convertie à la religion musulmane. Rapidement, Rachid a utilisé la violence contre elle et les gifles sont devenues courantes. Quand elle a été enceinte, il lui a interdit de continuer de voir ses parents. Elle est alors entrée dans un rapport de soumission totale à cet homme, comme si elle entrait dans une secte. Il lui disait qu'elle devait expier pour vivre. Il lui a ensuite imposé, à la maison, une concubine qu'il était allé chercher dans son pays d'origine. C'est cette femme qui s'occupait des enfants et faisait la cuisine, pendant que Céline travaillait à l'extérieur pour subvenir aux besoins de toute la famille.
Céline n'avait plus aucun droit de regard sur la façon dont ses enfants étaient élevés ; par exemple, si elle se montrait trop tendre avec

le plus jeune, son mari la convoquait devant une sorte de tribunal familial, composé de sa concubine, de ses enfants et de lui-même. Assis en face d'elle, il lui posait des questions. Quelles que soient les réponses qu'elle fournissait, il la battait.

C'est après une séance de coups particulièrement dure que Céline a décidé de partir, mais, bien sûr, elle n'a pas pu emmener ses enfants. Elle tente aujourd'hui de reprendre contact avec eux.

Ce sont ces mêmes hommes qui vont pratiquer le harcèlement par intrusion, après la séparation, dans un registre qui est proche de ce que les psychiatres appellent l' « érotomanie ».

Paul recrute Véronique comme assistante. Rapidement, il lui fait savoir, d'une façon véhémente, qu'il est amoureux d'elle. Elle marque son refus et donne sa démission. À partir de ce moment-là, il lui envoie des courriers, des fleurs, se met à l'attendre en bas de chez elle et cherche par tous les moyens à la rencontrer, pour lui déclarer sa flamme. Un jour, il réussit à grimper sur son balcon pour faire des photos d'elle. Elle porte plainte. Il se met alors à lui envoyer des lettres de menace.

Une autre fois, il lui vole son courrier pour connaître ses projets, puis, lors d'un voyage qu'elle effectue, il s'arrange pour loger au même hôtel qu'elle. Véronique prend peur et demande à son fiancé et à ses compagnons de voyage de la protéger. Une bagarre s'ensuit.

Paul a été condamné à deux mois de prison, à une forte amende et à une obligation de soins, mais il considère qu'il est la victime de Véronique et qu'il n'a pas mérité le sort qu'il subit. Selon lui, il était seulement amoureux et Véronique s'est montrée dure : « Cette femme me veut du mal et m'a traité comme un chien ! »

Les individus à personnalité paranoïaque sont de loin les plus inquiétants. Toute attitude qu'ils vivent comme une offense peut entraîner, chez eux, une rancune inflexible et destructrice. Leur rage et leur jalousie peuvent conduire à un homicide, celui de la femme qui tente de s'échapper, mais parfois également celui des enfants, suivi quelquefois d'un suicide.

Lorsque l'homme est paranoïaque, c'est la peur qui retient la femme et cette peur est, hélas, justifiée.

Ces hommes sont rarement accessibles à un traitement. Ils n'ont aucune demande de cet ordre car ils sont persuadés que tout le problème vient de l'autre et qu'ils ont raison d'agir de la sorte. Ils peuvent, cependant, bénéficier utilement d'un traitement antidépresseur qui, en diminuant leur tension interne, peut parfois atténuer leur sentiment d'infériorité et, par conséquent, désamorcer leur violence. Généralement, ils ne rencontrent un psychiatre que sur injonction judiciaire et gardent envers celui-ci une très grande méfiance.

SORTIR DE L'EMPRISE

QUELLES CONSÉQUENCES
SUR LA SANTÉ ?

Un tyran dont on n'a plus peur est un tyran vaincu.

La violence conjugale a des effets dévastateurs, tant sur la santé physique que sur la santé mentale des femmes victimes et de leurs enfants. Si les conséquences physiques de la violence sont plus faciles à repérer, les plus graves sont incontestablement psychologiques. Les traces d'une agression physique finissent par s'estomper, tandis que les injures, les humiliations laissent des marques indélébiles. Aussi, pour aider les femmes, il est essentiel de prendre en compte tous les aspects de la violence, et pas simplement de la violence physique.

Chez les victimes, les manifestations anxieuses ou anxio-dépressives sont fréquentes. Pour masquer leur anxiété, elles peuvent avoir recours à l'alcool, à des drogues, ou prendre des médicaments psychotropes.

Une récente étude portant sur 181 femmes sino-américaines a montré l'augmentation des états dépressifs en cas de violence conjugale, avec une sorte de relation « effet-dose », les climats les plus violents aboutissant aux dépressions les plus sévères[1].

Même si la personne a réussi à sortir de la relation abusive, les conséquences de la violence se prolongent dans le stress post-traumatique. Des années après, un événement anodin peut la ramener à son passé et provoquer des reviviscences anxieuses. Même séparée de son agresseur, elle reste vulnérable. Longtemps après la fin des violences, elle peut rester enfermée en elle-même, persuadée que le monde extérieur est hostile, et garder longtemps un sentiment de dévalorisation.

Une étude, réalisée, en 2003, par l'Institut de médecine légale de Lille portant sur 50 patients victimes de violence conjugale, 45 femmes et 5 hommes, montre la présence, chez 12 % des victimes, d'un état de stress post-traumatique (ESPT selon les critères du DSMIV), fréquemment associé aux autres troubles anxieux et dépressifs. Les femmes victimes de violence conjugale feraient cinq à huit fois plus de tentatives de suicide que les personnes de la population générale.

En ce qui concerne leur sexualité, de nombreuses femmes conservent un trouble du désir, des réactions de dégoût ou d'évitement. Certaines refusent, longtemps après, toute relation intime.

1. Hicks M.H.-R. et Li Z., « Partner violence and major depression in women : a community study of Chinese Americans », *Journal of Nervous and Mental Disease,* 191, novembre 2003.

Par la disqualification permanente qu'elle a subie, la victime a perdu confiance en elle ; elle a fini par intégrer l'image négative qu'on lui renvoie d'elle-même. Plus une relation abusive dure et plus le message de dévalorisation s'imprègne durablement aussi.

Par l'emprise, un cercle vicieux s'installe ; plus la maltraitance est fréquente et grave, moins la femme a les moyens psychologiques de se défendre et, encore moins, de partir.

Les conséquences de la violence sur la santé mentale des victimes sont aggravées par tout ce qui nourrit le sentiment de culpabilité, de honte et d'isolement. Aussi, dans une prise en charge psychothérapeutique, il faudra veiller à ne pas renforcer cette culpabilité, en « survictimisant » les personnes.

QUE DEVIENNENT LES ENFANTS ?

Si les effets de la violence sont faciles à constater sur la femme, il est plus difficile de les repérer sur les enfants ; pourtant, un enfant élevé dans un milieu de violence est aussi une victime de violence.

Statistiquement, le foyer familial est l'endroit où la femme et l'enfant ont le plus de risque de subir des violences. En effet, 20 à 30 % des enfants vivant au sein de couples violents subissent eux-mêmes des violences physiques, et les plus jeunes sont les plus exposés.

Chaque étape de la vie peut être concernée :
Cela commence souvent pendant la grossesse, puisque cette période de grande tension affective marque souvent le début de la violence d'un père, qui peut se sentir frustré ou ambivalent par rapport à la venue d'un enfant. Les coups, certes, mais surtout la violence psychologique peuvent avoir des conséquences graves, physiques ou psychiques, pour l'enfant à naître : accouchement prématuré, bébé de petit poids, mortalité périnatale. On sait aussi que les femmes enceintes maltraitées dans leur couple se font suivre moins régulièrement et participent moins

à la préparation à l'accouchement. On signale également un nombre plus important d'interruptions volontaires de grossesse chez les femmes victimes de violence conjugale, soit que le partenaire ne voulait pas que la grossesse se poursuive, soit que la femme redoutait l'aggravation de la violence.

Si la grossesse est menée à son terme, la violence conjugale peut provoquer indirectement des troubles sur l'enfant à naître par le biais de l'anxiété ou de la dépression de la future mère. Celle-ci consommera plus volontiers de l'alcool ou des psychotropes.

La période qui suit immédiatement la naissance d'un enfant est, comme on l'a vu, une période à hauts risques pour la femme[1]. Il est bien évident que les mères qui subissent de la violence ne peuvent pas jouer correctement leur rôle protecteur. Elles sont souvent dépressives, anxieuses, et leurs capacités d'attachement s'en trouvent perturbées. Le nouveau-né carencé en affection va mettre en place des stratégies (hyperactivité ou cris) pour pallier ces manques, ce qui risque d'aggraver les difficultés du couple parental. Il ne faut pas oublier que les trois ou quatre premiers mois de l'enfant sont déterminants pour son développement ultérieur car, à ce stade, l'environnement et la biologie s'influencent mutuellement.

Par ailleurs, le simple fait d'être exposé à la violence entraîne des altérations psychiques importantes. Être témoin de violences est tout aussi dommageable, sinon plus, que d'y être exposé plus

---

1. Desurmont M., « Violences pendant la grossesse, violences après la naissance », in *De la violence conjugale à la violence parentale,* Erès, Fondation pour l'enfance, 2001.

directement. Les parents minimisent à tort l'impact de la violence, surtout pour les tout-petits qui n'ont pas la possibilité de s'éloigner. On sait, notamment, que des enfants peuvent présenter des troubles post-traumatiques dès deux ans, avec des séquelles cérébrales qui peuvent être graves. Il semblerait qu'après six ou sept ans les altérations soient moindres que lorsque l'enfant a moins de trois ans[1].

Pour un enfant, être témoin de violences conjugales revient au même que d'avoir été maltraité lui-même. Sa mère peut s'arranger pour qu'il n'assiste pas directement aux violences, mais il verra les traces de coups et la détresse dans les yeux de celle-ci.

Une mère qui subit de la violence, sans pouvoir se défendre pourra avoir la tentation d'utiliser l'enfant comme exutoire. D'autre part, certains enfants jouent spontanément un rôle de paratonnerre en s'agitant et en essayant de faire diversion, afin de détourner l'agressivité latente entre ses parents. Ils mettent en place différents modes de défense comme l'agitation ou la violence ; certains vont enfermer le traumatisme en eux, donnant à penser que rien ne les a affectés, mais le trauma réapparaîtra plus tard, par des troubles divers. Quelques enfants sauront se protéger en se construisant une carapace ou en se réfugiant dans l'imaginaire. « Cependant, la plupart des enfants, par leur structure de personnalité, ne sont pas à même de réagir valablement, mais vont, au contraire, exprimer leur désarroi affectif d'une façon pathologique, d'autant plus intensément que les désac-

---

1. Selon l'intervention de Miguel Lorente, médecin légiste, lors du congrès de l'UNAF à Séville, le 30 janvier 2004.

cords parentaux ou la maltraitance se rapprochent des moments clés de leur développement (angoisse du huitième mois, triangulation œdipienne[1]). »

Les conséquences immédiates d'une atmosphère de maltraitance peuvent être des troubles du développement (retard staturo-pondéral, immaturité, difficultés scolaires), des troubles psychosomatiques (troubles digestifs, céphalées), des troubles émotionnels (anxiété, tristesse, colère, mauvaise estime de soi) ou bien des troubles comportementaux (mauvais contrôle pulsionnel, prise de drogues).

Quand il y a de la violence entre ses parents, l'enfant se vit toujours comme responsable, ce qui entraîne, chez lui, une perte d'estime de soi. D'autre part, les enfants se construisant par identification, il peut se faire que certains s'identifient au parent violent et reproduisent à leur tour la violence dont ils ont été témoins. Des études américaines ont montré que, lorsqu'un petit garçon a été victime ou témoin de violence au sein de sa famille, il a une probabilité trois fois plus grande qu'un autre de devenir violent à l'âge adulte. Mais il faut se garder de toute généralisation car la plupart des enfants qui sont victimes ou témoins de violences ne deviennent pas eux-mêmes violents. Cette familiarité avec la violence est comme un mode d'emploi appris et, plus tard, l'individu y aura ou non recours en fonction d'un certain nombre d'autres facteurs.

1. Marneffe C., *Interactions violentes entre les parents et les répercussions sur les enfants,* communication présentée lors des journées « Violences familiales », Société scientifique de médecine générale belge, Harzé, le 30 novembre 2002.

Il peut aussi se faire qu'il s'identifie à la victime ; dans ce cas, il ne sentira plus les limites entre le tolérable et l'intolérable. Certains d'entre eux peuvent ainsi développer une grande perméabilité à la violence et considérer celle-ci comme une façon normale de résoudre des conflits. Un enfant qui a vu sa mère se faire battre retiendra que certaines formes de violence sont acceptées, voire légitimes.

Enfin, le pire consiste à utiliser l'enfant comme enjeu dans le conflit conjugal, celui-ci fait alors l'objet d'un chantage : « Si tu pars, je m'arrangerai pour que tu n'aies pas la garde des enfants ! » Il arrive même que, par esprit de vengeance, il soit enlevé par l'un des deux parents. Se sentant menacé, il peut avoir la tentation de s'isoler avec le parent qui s'occupe de lui, risquant de devenir son confident et partageant son insécurité.

Au moment des séparations, dans leur désir profond de protéger leurs deux parents, les enfants peuvent être pris dans des conflits de loyauté et vivre mal la surenchère de demandes de certificats de la part des avocats des deux parties.

> Les parents de Christophe ont divorcé quand il avait six ans. Sandra, la mère, pour se protéger de la pression de son ex-mari, préféra partir dans une autre ville, empêchant ainsi son fils de voir régulièrement Georges, son père.
> Dans ses contacts avec Christophe, par téléphone ou pendant les vacances, Georges se plaignait de la malveillance de Sandra, critiquait son mode de vie et la façon qu'elle avait d'élever son fils. Il disait à Christophe

que, s'il ne le voyait pas plus souvent, c'était qu'avec une telle mère ce serait forcément compliqué, mais qu'il en était très malheureux. Il cessa rapidement de payer la pension alimentaire et le justifiait auprès de son fils en disant que le divorce l'avait ruiné, mais qu'il se débrouillerait quand son fils viendrait habiter chez lui.

Christophe se mit à en vouloir à sa mère, à s'opposer systématiquement à elle, à ne plus aller à l'école, jusqu'à ce que Sandra accepte qu'à quatorze ans son fils aille vivre chez son père.

Christophe fut alors surpris de constater qu'il n'y avait aucune place pour lui dans la vie de son père, qui se montrait très indifférent à son égard et ne s'occupait absolument pas de lui. Georges avait simplement « gagné » la garde de son fils. Christophe préféra partir en pension.

Paradoxalement, alors que de nombreuses femmes victimes de violence disent qu'elles restent à cause des enfants, certaines décident de partir quand la violence se dirige *contre* leurs enfants.

On aurait pu penser qu'une fois sortis de la situation de violence, leurs mères allant mieux, les enfants iraient mieux. Il n'en est rien. Une recherche, menée, en 1996 et 1997, dans deux centres d'hébergement qui accueillent des mères avec leurs enfants, la Maison des femmes de Cergy et le Centre Flora Tristan de Châtillon, a tenté de comprendre comment aider ces enfants. Les intervenants ont utilisé des techniques de groupe (jeux de rôle), afin de leur permettre de mettre en mots ou en scène ce qu'ils avaient subi. « Les enfants se trouvent pris dans des conflits de loyauté par rapport à leurs parents et, de plus, sont confrontés à des images d'adultes peu fiables ou bizarres[1]. »

Le but de ces interventions était de donner aux enfants un appui pour leur permettre de dépasser le traumatisme et de développer de nouvelles ressources pour avancer. Mais il s'agit là d'expériences isolées, et trop souvent la détresse des enfants n'est pas suffisamment prise en compte.

1. Coutrot A.-M., Jacquey M.-J., « Les femmes victimes de violences conjugales et leurs enfants », in *De la violence conjugale à la violence parentale,* Erès, Fondation pour l'enfance, 2001.

L'AIDE PSYCHOTHÉRAPEUTIQUE

La personne sous emprise n'est plus maître de ses pensées, elle est littéralement envahie par le psychisme de son partenaire et n'a plus d'espace mental à elle. Elle est comme paralysée, aucun changement ne peut se faire spontanément de l'intérieur ; il faut une aide extérieure pour mettre fin à l'emprise et c'est ce à quoi sert le travail psychothérapeutique.

Une psychothérapie, quelle que soit la méthode choisie, devra permettre à la victime de se dégager de cette relation aliénante, afin de retrouver son existence propre. On ne peut pas aider ces gens si on ne prend pas en compte qu'ils sont sous influence et que ce processus reste longtemps actif. Les paroles de l'agresseur ont été intériorisées et continuent à s'opposer à un travail de libération.

Trop souvent, dans les prises en charge de femmes victimes de violence, on tend à les infantiliser en leur disant, par exemple : « Il faut que vous compreniez que votre situation est inacceptable ! » Bien sûr qu'elles savent que c'est inacceptable, mais elles n'ont pas, seules, les moyens de s'en sortir.

Plusieurs sortes de psychothérapies peuvent être proposées à une femme maltraitée dans son couple, mais il faut préférer l'écoute active réellement bienveillante à l'attention flottante et à une neutralité plus froide que bienveillante. Lorsqu'une femme se présente angoissée, mutique, craintive, la tête vide, on ne peut se contenter de l'écouter silencieusement.

Il vaut mieux éviter les thérapies comportementales qui, parce qu'elles s'appuient sur les théories de l'apprentissage, présentent le risque d'évoquer en miroir le conditionnement auquel la femme a été soumise. De toute façon, à se cacher derrière une technique, on risque d'oublier l'essentiel, la disponibilité à l'égard de ces personnes. Il faut les aider à verbaliser, à comprendre leur expérience et les amener ensuite à critiquer cette expérience.

La meilleure façon de se protéger, c'est de comprendre.

Une psychothérapie d'une personne qui est ou a été victime de violence dans son couple n'est pas aisée et est souvent ponctuée de ruptures. Il faut donc respecter son rythme. Une règle générale est la patience. Entre le début des soins et la fin de la maltraitance, des mois, voire des années, peuvent être nécessaires. Il faut donner du temps à ces personnes pour changer leur grille de lecture, de façon à ce que ce qui leur paraissait normal ou banal devienne inadmissible. Il faut une infinie patience au thérapeute qui peut se sentir impuissant et parfois être tenté de secouer la femme : « Vous ne voyez pas que vous vous mettez en danger ! »

Au cours d'une prise en charge de ce type, on assiste à de nombreux retours en arrière, et il faut bien se garder de juger la situation avec sa propre grille : « Moi, à sa place, je serais partie », même si celle-ci paraît très choquante ou très dangereuse. Il peut se faire qu'après une tentative de séparation le retour au domicile et la reprise de la relation entraînent une aggravation de la violence, voire une mise en danger.

Si on est trop actif, si on veut trop le changement à la place de l'autre, sans respecter son rythme, on risque fort de le voir interrompre la psychothérapie définitivement.

Il est important de respecter certaines étapes.

Repérer la violence

La première étape consiste à faire admettre qu'il s'agit de violence. Or, 57 % des femmes interrogées pour l'enquête ENVEFF parlaient pour la première fois et certaines d'entre elles n'imaginaient pas que ce qu'elles subissaient était de la violence. Il faut leur donner les moyens de décoder la violence psychologique et de repérer les comportements abusifs ; leur permettre de reconnaître la violence comme une injustice, afin de mobiliser leurs ressources.

Pour permettre à une personne de se dégager de l'emprise, il faut d'abord l'amener à comprendre comment elle a été piégée. On va analyser avec elle les procédés de violence indirecte utilisés contre elle. Ce n'est pas facile car le discours élaboré et argumenté de l'agresseur les masque généralement. Quand celui-ci se défend en accusant l'autre, la personne a la tentation de se justifier, ce qu'il ne faut pas faire face à un pervers narcissique car il utilisera tout ce qu'elle lui dira pour le retourner contre elle. Comme dans des sables mouvants, plus celle-ci se débat, plus elle s'enfonce.

Les victimes, qui ont perdu leurs limites, ont du

mal à reconnaître que ce qu'elles ont subi est mal-
veillant ou humiliant. Cette simple question : « Est-
ce que ça vous paraît normal ? » peut les conduire à
s'interroger sur la portée d'un acte. On peut aussi
ajouter : « Si vous faisiez la même chose, comment
votre conjoint réagirait-il ? »

> Tout se passe comme si je voulais déchiffrer
> un texte en langue étrangère, sans avoir tout
> traduit ; le mot à mot ne donne pas le sens
> général.
> Ou bien encore c'est comme si on faisait un
> puzzle, sans savoir à l'avance ce qu'il repré-
> sente. Vous cherchez, vous ajoutez des pièces,
> mais l'image n'est toujours pas interprétable.
> Il faut que vous mettiez la dernière pièce pour
> enfin comprendre l'image.
> Je ne sais pas toujours lire les attitudes codées
> de mon mari (ses actions perverses, ses inti-
> midations, ses agressions), je filtre avec ma
> grille à moi.

Nommer la violence

Le thérapeute doit prendre position et dire clairement que ces agissements sont anormaux. Trop souvent, les thérapeutes se retranchent derrière une
neutralité qui ressemble à de l'indifférence et qui
frise parfois la non-assistance à personne en danger.
Ils se méfient de la dramatisation hystérique des
femmes et ils craignent la manipulation.

Pourtant, à travers les dires de son patient, le thérapeute peut repérer des distorsions de la communication et nommer ce qui est agressif. Pour lui

permettre de sortir du blocage émotionnel, il ne doit pas nier la maltraitance.

Ce travail doit aider la victime à reconnaître ses émotions légitimes jusque-là censurées, comme la colère, le désir de vengeance et aussi la honte et la culpabilité.

Déculpabiliser la personne

Habituellement, dans une psychothérapie, le thérapeute cherche à rendre ses patients plus responsables de leur destin. Ici, le processus doit être inverse. Ces patients, qui portent seuls toute la culpabilité de l'échec du couple puis de la violence, devront se déprendre de cette culpabilité.

Il faut donc expliquer à la personne que, si elle ne réagissait pas, c'était parce qu'elle était sous influence, lui faire comprendre que l'état d'impuissance dans lequel elle se trouve n'est pas pathologique, mais résulte d'un processus dont on peut comprendre les rouages tant au plan social que relationnel.

L'étape suivante consiste, pour le patient, à parvenir à formuler que le comportement de son agresseur n'est pas acceptable. Il doit lui faire porter la responsabilité de ses actes. Quand on a expliqué ce processus aux patients, il arrive qu'ils trouvent leurs propres solutions. C'est ainsi que certaines femmes comprennent que ce n'est pas leur comportement qui a provoqué la violence chez leur compagnon, mais sa souffrance à lui. Le processus violent se reproduit à chaque nouvelle relation de l'homme.

Avant de fuir le domicile conjugal, Julie eut l'idée de téléphoner à la première femme de

Bernard, son mari. Il lui avait toujours dit que celle-ci n'était qu'une mégère malveillante et qu'elle avait été particulièrement odieuse au moment du divorce. Au téléphone, cette femme lui apprend que Bernard l'avait disqualifiée, martyrisée, harcelée. À deux reprises, elle avait fait établir des mains courantes pour des gifles reçues. Il lui avait mené une vie tellement insupportable qu'au moment du divorce, elle avait préféré partir à l'autre bout de la France.

Renforcer le narcissisme

Après la séparation, les victimes, prenant conscience qu'elles ont été abusées et manipulées, présentent souvent un état anxio-dépressif lié à la perte de leurs illusions. Elles décrivent alors un sentiment de vacuité et d'inutilité.

Elles s'interrogent : « Comme il ne reconnaît pas ce qui s'est passé et qu'il continue à dire que je suis mauvaise, je garderai toujours un doute sur la réalité de ce qui s'est passé ! » Il faut donc travailler avec elles sur leur estime d'elles-mêmes et sur leur capacité d'autonomie, afin qu'elles puissent sortir de leur inhibition et retrouver toutes leurs ressources personnelles. On listera, avec elles, leurs points positifs, leurs réussites. Quand elles ont accompli ce chemin, c'est comme si elles se réappropriaient leur corps. Elles s'habillent différemment, se maquillent, paraissent plus légères.

Pour sortir d'une position de victime, il faut, par un travail psychique, retrouver une bonne image de soi. Cela est plus ou moins facile selon que, dans l'enfance, on a pu avoir une sécurité affective suffisante dans ses relations avec ses parents.

Les humiliations laissent des traces qui ne s'effacent pas, mais qui peuvent se surmonter, si on accepte son histoire.

Apprendre à poser des limites

Il faudra, ensuite, apprendre à la personne à poser des limites, à refuser une situation qui ne lui convient pas, afin de sortir de la confusion et protéger son intimité des intrusions extérieures. On constate d'ailleurs que, quand elle a fermement indiqué ses limites, le partenaire sent qu'il ne peut pas aller au-delà. Mais il faudra être vigilant car il essaiera à nouveau de les enfreindre.

En tant que thérapeute, on peut percevoir, chez les femmes, ce changement. Un jour, la parole est plus ferme, les contours de la personne sont mieux dessinés, le geste plus assuré. Elles racontent comment elles arrivent à ne pas céder. C'est le moment où elles sont capables d'être en colère devant un comportement aberrant. Leur colère n'est pas l'expression d'une panique, mais de la fermeté ; c'est elle qui leur permettra de se défendre.

Dire « je ne veux pas » permet de reprendre le pouvoir. Il importe d'être maître de son choix.

Trop souvent, dans une situation de violence, les femmes ne se posent pas la bonne question. Elles disent : « Est-ce que je l'aime assez pour supporter ça ? », alors qu'elles devraient se demander : « Est-ce que c'est bon pour moi d'être avec lui ? » En effet, on peut aimer quelqu'un et reconnaître que cette relation est destructrice.

Récupérer une capacité critique

En analysant les comportements de son partenaire violent, la femme découvre que ceux-ci sont là pour masquer ses faiblesses à lui. Tout à coup, il ne correspond plus à l'image idéale qu'il donnait, il n'est pas tout-puissant. Ce n'est qu'un humain avec ses vulnérabilités. En récupérant une capacité critique, la femme rétablit une symétrie.

L'emprise cesse quand la victime réalise que, si elle ne cède pas, l'autre n'a aucun pouvoir.

Analyser l'histoire individuelle

Lorsque la femme a pris conscience de la réalité de la maltraitance et qu'elle commence à poser des limites, on peut aborder avec elle les points de sa biographie (souvent la petite enfance) qui l'ont rendue vulnérable, mettant au jour la faille dans laquelle l'autre s'est engouffré.

On pourra voir aussi en quoi elle a été complaisante, analyser avec elle la fascination qu'il y a à être victime, ce que certains psychanalystes traduisent par la « jouissance à être victime ».

Lutter contre la dépendance

L'emprise a installé une relation de dépendance ; aussi, comme pour des toxicomanes, il va falloir tenir compte de l'état de « manque ».

Brigitte vit avec un homme violent depuis quinze ans. Sur les conseils d'une amie, elle a entrepris une psychothérapie, bien décidée à changer une situation qu'elle trouve inacceptable. Séance après séance, elle progresse et dit se sentir beaucoup plus forte. Elle pose désormais quelques limites que son compagnon perçoit puisqu'il modère sa violence. Mais, à la suite d'inquiétudes concernant son emploi, il s'est montré réconfortant ; aussitôt, le langage de Brigitte est redevenu flou et imprécis. Elle le constate elle-même : « Je rechute. On revient à la case départ. Lui seul peut me sauver ! »

Le travail thérapeutique est différent suivant que la femme est ou non dans la proximité du conjoint.

Muriel est une femme dépressive qui paraît plus que son âge. Pendant ses séances, elle passe son temps à se plaindre de la violence de son mari, tout en lui cherchant des tas d'excuses.

Un jour, elle me donne l'impression d'avoir des contours plus précis, un discours plus ferme et quelque chose de plus vivant dans le regard. Elle est joyeuse, me dit qu'elle a passé de bons moments à rire avec sa fille.

J'apprends que son mari, appelé à l'étranger pour des raisons familiales, est absent de la maison depuis quinze jours et qu'elle fait ainsi l'apprentissage de la vie sans lui.

Les psychothérapies de couple

La psychothérapie de couple n'est, selon moi, absolument pas adaptée en cas de violence conjugale car elle part du principe que chacun des deux partenaires est coresponsable des problèmes du couple. Par conséquent, elle permet à l'homme de trouver des justifications à sa violence, et elle risque de renforcer la culpabilité de la femme.

Par ailleurs, elle peut être dangereuse pour la femme car ce qui aura été dit durant la séance risquera d'être utilisé par l'homme pour renforcer encore plus sa violence.

La vulnérabilité de la femme s'en trouvera accrue.

Si la femme veut à tout prix maintenir le couple, mais si l'homme est réticent à reconnaître ses actes, une thérapie de couple ne pourra être envisagée que beaucoup plus tard, lorsque les deux conjoints auront fait suffisamment de chemin par des thérapies séparées, elle pour refuser de tolérer l'intolérable, et lui pour trouver d'autres issues à sa colère.

Cette thérapie est parfois possible lorsque la violence est d'installation récente et que l'homme regrette suffisamment ses dérapages pour s'impliquer complètement.

Le pardon

La seule voie de réparation efficace serait de demander pardon, c'est-à-dire d'éprouver un repentir sincère. Il est possible de pardonner, lorsque l'agresseur reconnaît ses actes et en exprime des regrets. Dans une relation égalitaire, en principe, celui qui a causé un tort à l'autre reconnaît son erreur, en assume la responsabilité et peut présenter des excuses.

Dans le cas des agressions perverses, cela n'existe pas car l'agresseur ne reconnaît jamais ses torts, aussi la victime doit faire le travail d'acceptation, seule.

Selon les enquêtes menées par les associations, les femmes qui s'en sortent le mieux sont celles qui ont pu aller jusqu'au bout d'une démarche juridique. Or, quand il s'agit de violence psychologique, c'est impossible puisqu'il n'y a pas de traces, pas de preuves, et que les victimes sont difficilement crues. Dans ce cas, le travail de reconstruction est plus long, c'est comme si une brèche restait ouverte. Il arrive alors que les victimes ressassent sans fin leur rancune et cherchent à évacuer leur souffrance par des exigences de réparation exorbitantes. Cela les fige dans une position d'éternelles victimes.

FAUT-IL SOIGNER
LES HOMMES VIOLENTS ?

On peut se demander s'il faut ou non proposer des soins aux hommes violents. Pour certaines féministes, ces hommes ne sont pas des malades mentaux qu'il faut soigner, mais des délinquants qu'il faut punir. Comment trancher ?

Il est exceptionnel qu'un homme consulte spontanément pour trouver une issue à sa propre violence. Beaucoup plus souvent, il le fait, de plus ou moins bonne grâce, sous la pression de sa compagne qui menace de partir.

La majorité des hommes violents sont dans le déni complet de leur violence et n'ont aucune demande de soins. Ils attribuent le problème à leur femme qui fait des histoires en se plaignant inutilement, ou bien qui a rompu l'équilibre familial en les quittant. Ils ne mettent un frein à leur violence que si une instance extérieure les y oblige. Aussi, la justice peut obliger ces hommes à consulter dans le cadre d'une obligation de soins ou d'un classement sous conditions, si l'homme se fait soigner et ne récidive pas.

Il existe deux types de psychothérapies d'hommes violents :

— Les méthodes comportementales, qui visent à permettre à l'homme un meilleur contrôle de son agressivité. Ces méthodes s'appuient sur les théories de l'apprentissage et du conditionnement. Elles peuvent être utilisées en psychothérapie individuelle et également dans des groupes. L'homme y apprend à identifier les situations qui déclenchent sa violence, à prendre conscience de son état émotionnel et à réguler ses émotions. On y enseigne également des techniques de relaxation et de communication.

— Les sociothérapies considèrent que la violence n'est pas le résultat d'une perte de contrôle, mais un instrument sciemment utilisé par l'homme pour contrôler sa partenaire. Le but de ces méthodes est d'aider les hommes violents à construire un couple plus égalitaire et modifier leurs perceptions des relations entre les deux sexes.

La Délégation aux droits des femmes et à l'égalité propose un questionnaire pour aider les hommes, auteurs de violence à l'encontre de leur femme, à identifier les éléments sexistes à l'origine de leurs actes[1]. Ce questionnaire cherche à repérer les différentes formes de contrôle exercées sur le partenaire, ce qui pourrait être utile à l'homme qui n'a que rarement conscience de son comportement.

C'est certainement un bon outil de prévention, mais, comme les hommes violents ne se reconnaissent

1. *Identifier et combattre le sexisme dans la violence masculine envers les femmes,* Délégation régionale aux Droits des femmes et à l'égalité d'Île-de-France, 2004.

pas comme violents, ils continuent de se convaincre que le contrôle vient de leur compagne.

Avec des hommes régulièrement violents, il est préférable de commencer la prise en charge thérapeutique par un travail de groupe. « Les centres apprennent aux hommes à identifier les signes de la montée des colères et des violences. Une fois ces signes repérés, on leur apprend à aller s'aérer et surtout à ne pas faire porter sur leur compagne la responsabilité de leur état[1]. »

Parmi ceux-ci, certains vont changer, mais la majorité cessera les soins très rapidement. Quelques hommes vont cependant reconnaître leur responsabilité.

C'est au cours de ce travail de groupe que peut apparaître une autre problématique, généralement liée à l'enfance ; une prise en charge individuelle sera alors proposée.

Après le départ de sa femme et de ses enfants, l'homme se pose très souvent en victime et cherche à se faire plaindre. Il faudrait profiter de ce désarroi pour l'aider à se responsabiliser et lui permettre d'analyser sa violence.

Les hommes violents sont des hommes qui ne parlent pas. Ils ne savent pas plus dire leurs plaisirs que leur colère. Il faut donc les aider à retrouver leurs émotions perdues, celles de l'enfance, et leur apprendre à les communiquer autrement que par la violence. Le but est de permettre à ces hommes de retrouver une place de sujet à part entière. Il faut

1. D. Welzer-Lang, *Arrête ! Tu me fais mal !* Montréal, VLB éditeur, 1992.

qu'ils arrivent à stopper la spirale qui les entraîne à reproduire toujours le même type de relation avec une femme.

Nous avons vu qu'il y a plusieurs profils d'hommes violents et, bien entendu, selon les profils, les traitements seront différents et auront des résultats différents.

Les hommes violents de façon impulsive et ponctuelle, dont la pathologie n'est pas trop marquée, finiront peut-être par reconnaître leur violence, à condition qu'ils acceptent une prise en charge psychothérapeutique régulière. Ceux-ci gagneront beaucoup à apprendre à se contrôler, surtout si, au même moment, ils font l'effort d'arrêter l'alcool et les drogues.

Avec les psychopathes, la répression juridique et l'obligation de soins ne font en général que renforcer leurs tendances agressives. Pourtant, ils ont besoin d'un cadre ; la prise en charge devra fournir une relation personnalisée, rassurante par sa fermeté et sa permanence.

Le travail thérapeutique avec les pervers narcissiques est difficile, voire impossible, car ils ne reconnaissent pas les faits et ne se remettent pas en question. S'ils acceptent une prise en charge psychothérapeutique, c'est en général de façon très stratégique et utilitaire.

Les hommes qui présentent un caractère paranoïaque sont très résistants à toute forme de prise en charge. Dans le cadre d'une obligation de soins, ils peuvent se rendre à des consultations, mais ils se méfieront et camperont sur leurs positions. Il est rare qu'on les fasse changer.

En Espagne, un programme d'assistance aux hommes violents a été mis en place en 1995, avec l'ouverture de centres de traitement[1].

L'objectif de ce programme est de protéger les femmes qui ont décidé de continuer à vivre avec un homme violent et, par la même occasion, de protéger leurs enfants. Le programme s'adresse à des hommes volontaires. Rien n'est prévu pour ceux qui sont incarcérés. La prise en charge est de cinq mois, une fois par semaine. Elle peut être renouvelée pour un an.

Le traitement comporte plusieurs phases :

– Une première phase de motivation ou de prise de conscience. C'est la phase où il y a le plus d'échecs car l'homme doit reconnaître qu'il a un problème et en assumer la responsabilité, ce qui est exceptionnel. Au Pays basque, depuis le début de la mise en place du programme, 3 500 femmes ont été victimes et seulement 300 hommes ont intégré le programme. Ce qui veut dire que 3 200 hommes n'ont pas envisagé de se soigner. Pire encore, une grande partie des hommes qui intègrent le programme l'interrompent au bout de deux ou trois sessions.

– La seconde phase constitue le traitement proprement dit. Il s'agit d'apprendre à ces hommes à contrôler leur agressivité et leurs réactions de colère. On retrouve généralement chez eux, avant même l'agression, une hostilité envers les femmes.

1. Cenea R., d'après une intervention, *El Tratamiento a los hombres maltratadores.*

Ils n'envisagent la relation homme/femme qu'en termes de pouvoir, de lutte pour dominer l'autre.

– Il s'agit aussi de travailler sur l'absence de sentiment de culpabilité des hommes violents.

– Enfin, s'il existe un problème associé, comme une pathologie mentale ou alcoolique, il sera abordé.

Ces centres obtiennent entre 30 et 35 % de résultats positifs, c'est-à-dire que la violence, tant physique que psychologique, a disparu complètement chez 30 à 35 % des hommes suivis. Mais ces résultats sont dérisoires, puisque peu d'hommes se portent volontaires pour une telle prise en charge et qu'une grande partie d'entre eux ne vont pas jusqu'au bout du programme.

Est-ce une raison pour ne rien faire ?

La difficulté vient de ce que ces programmes ne s'occupent que de la violence physique. Rien n'est prévu pour les hommes plus intelligents et plus pervers qui vont détruire leur compagne sans laisser de traces. Une étude québécoise[1] a montré que les violences invisibles, tel l'abus psychologique et verbal, persistaient en dépit de la poursuite du programme de traitement pour conjoints violents. Peut-on parler de transformation de la violence ou tout simplement de persistance de la violence psychologique au-delà du traitement ?

1. Ouellet, Lindsay, Saint-Jacques, 1993, cité in *La Violence psychologique entre conjoints,* CRIVIFF.

Même s'il est essentiel que la prise en charge soit pluridisciplinaire et qu'il y ait des contacts entre le thérapeute de l'agresseur et celui de la victime, il me paraît préjudiciable pour la femme victime que celle-ci soit suivie dans les mêmes locaux que son mari. Nous l'avons dit, les femmes ont peur, et elles ont peur très longtemps après la séparation, aussi l'éventualité d'une rencontre avec leur agresseur peut constituer un traumatisme supplémentaire qu'il vaut mieux éviter.

PARTIR OU RESTER ?

On reproche aux femmes victimes de violence de ne pas réagir, d'être trop soumises, mais, en réalité, elles ne font que développer des stratégies d'adaptation pour limiter la violence du partenaire et préserver le couple et la famille. Maintenues dans un état de dépendance psychologique et subissant des violences, elles continuent à croire que seul cet homme peut les protéger du monde extérieur. Aussi, la perspective de se retrouver démunies et sans tendresse est pour elles plus redoutable que la violence elle-même.

Si elles tardent tant à partir, c'est qu'il n'est pas si simple de sortir de l'emprise. C'est une longue prise de conscience qui demande du soutien, afin de repérer les « pièges ».

Beaucoup de femmes restent dans l'entre-deux, ne voulant pas continuer à supporter la violence mais ne sachant pas comment partir.

Selon une étude américaine, un tiers des hommes qui ont été violents avec leur partenaire cessent leur violence, sans qu'il y ait eu une intervention de la police. On suppose que ce changement est dû à la réaction de la partenaire. En effet, face aux agressions, les femmes réagissent de façons variées : elles appellent la police, partent, se mettent à l'abri momentanément, menacent de se séparer, montrent leur peur... Mais, si ces réactions ne sont pas suivies d'effets, elles ne seront plus prises au sérieux la fois suivante.

Quelles que soient les approches thérapeutiques proposées, il importe que ce soit la femme, et non un intervenant extérieur, qui décide si elle doit ou non quitter son partenaire violent. Beaucoup trop d'intervenants considèrent qu'en cas de violence physique les femmes doivent absolument quitter leur conjoint. Il est normal qu'elles doutent et s'interrogent : « Est-ce pire de vivre avec lui ou de vivre seule, dans des conditions précaires ? »

Rester

Tant qu'elles sont sous emprise, les victimes ont le sentiment qu'il n'y a pas de solution. Or, quand elles « décrochent », comme on le dirait d'un toxico, et qu'elles osent réagir, elles sont surprises de voir que l'homme qui les agressait et leur faisait peur était, en fait, fragile.

Bien évidemment, plus une femme a de l'autonomie et moins son partenaire a de pouvoir sur elle.

> Rémy avait toujours été difficile, caractériel, mais Carole s'en accommodait plus ou moins, d'autant qu'elle était entièrement dépendante de lui financièrement. Quand il était en crise, il l'injuriait, la bousculait et elle se taisait.
> Mais, quand il n'était pas violent, Rémy était

un homme cultivé avec qui il était agréable de sortir ou de voyager.

Souvent, elle se posait la question : « Où est la limite de ce qui est supportable ? », pensant que, si c'était infernal tout le temps, ce serait plus facile.

Quand ses enfants ont été suffisamment grands, elle a repris des études et a commencé une psychothérapie. Elle a ainsi pris conscience que ce qu'elle vivait n'était pas supportable et elle s'est montrée nettement moins docile.

La violence de Rémy, qui était jusqu'alors plus ou moins camouflée, s'est faite plus évidente, même à l'extérieur. Les crises sont devenues plus fréquentes et Carole a décidé de partir.

Lorsqu'on lui a proposé un appartement correspondant à son budget, elle a paniqué : « C'est comme si je sautais dans le vide ! » et elle n'a pas pu signer le bail. « Au fond, si je ne suis pas partie plus tôt, c'est parce que je n'ai pas confiance en moi. J'ai peur d'aller rejoindre le lot des femmes seules à Paris ! » Il a fallu que la violence de Rémy passe à un degré supérieur pour qu'elle prenne littéralement la fuite et s'installe chez une amie.

Elle pensait s'être préparée à un départ, mais, une fois partie, elle se sentit complètement démunie et désorganisée.

Elle continuait à douter : « C'est ma faute, je n'aurais pas dû dire ou faire telle chose ! »

Rémy lui a téléphoné une première fois : « Arrête ton caprice et reviens tout de suite ! », mais Carole n'a pas obtempéré.

Elle lui a simplement expliqué en quoi ce qu'elle vivait auparavant était insupportable. Une semaine plus tard, il l'a rappelée : « Cela fait bientôt un mois que tu es partie et c'est la limite de ce que je peux supporter ! Si tu ne reviens pas, je cesse de travailler ! » Cette réflexion, qui apparaissait à Carole comme un chantage, eut pour effet de la mettre en colère et de la conforter dans sa décision.

Quelques semaines plus tard, Rémy la rappela très prudemment : « La vie sans toi, ce n'est pas possible. J'ai compris que tu as changé et que les règles du jeu ne peuvent plus être les mêmes. Quand tu seras prête, j'aimerais que tu reviennes ! » Carole a pu voir qu'il était perdu sans elle, et, comme elle tenait à lui, elle finit par accepter, mais en imposant ses conditions : « Au moindre dérapage, je repars ! »

Il a compris que Carole était réellement capable de repartir et il fait de réels efforts pour se contenir. Quand il commence à s'énerver, Carole lui tient tête calmement. : « Tu dois te contrôler ! », elle dit ce qui ne va pas et ils réussissent à en parler.

Carole en déduit que, contrairement à ce qu'il disait, Rémy était entièrement conscient de ses dérapages de violence.

Dans ce cas clinique, on voit qu'en partant Carole a rétabli une égalité dans le couple. Ils ont vu l'un et l'autre que Rémy avait autant besoin de Carole qu'elle de lui. Son départ lui a redonné confiance en elle et elle ose désormais l'affronter. Elle prend conscience de la gravité de ce qu'elle vivait et se demande comment elle a pu endurer cela si longtemps : « Je n'arrivais pas à trouver la limite, à dire à quel moment cela devenait insupportable. Et lui, comme rien ne l'arrêtait, il avait toutes les bonnes raisons pour continuer. »

De toute façon, qu'elles restent ou qu'elles partent, il faut que les femmes apprennent à dire stop et à poser leurs conditions. Il leur faut briser le silence qui entoure la violence.

Il n'est possible de rester en couple que si l'homme est capable de traverser des moments de colère et des conflits sans devenir violent, s'il est capable d'écouter et de respecter la parole de sa femme. Il faut que la femme puisse exprimer son désaccord, qu'elle puisse montrer son énervement ou sa fatigue, sans déclencher une crise de violence chez son compagnon. Pour cela, il lui faudra cesser de le protéger, de le materner, pour s'occuper d'elle.

Partir, oui, mais comment ?

Pour partir, il faut reconnaître son impuissance à changer l'autre et décider de s'occuper enfin de soi.

À partir de tout ce que nous avons dit sur la vulnérabilité des femmes, il est aisé de comprendre que certaines femmes repéreront plus vite le danger de cette relation et sauront prendre la fuite dès le premier accès de violence. En effet, quand une femme n'a pas connu de violence dans son enfance, qu'elle a une bonne estime d'elle-même, un bon réseau social et aussi une autonomie financière, elle est mieux armée pour réagir.

De toute façon, il est plus facile de partir au tout début de la relation, c'est-à-dire avant que l'emprise n'ait pu se mettre en place.

Une situation de violence ne peut pas s'arrêter du jour au lendemain. Se dégager de l'emprise d'un conjoint violent est un processus lent, et les femmes victimes donnent souvent l'impression de ne pas savoir ce qu'elles veulent. Pourtant, les allers et retours au domicile ne sont pas des échecs mais bien des étapes qui permettent aux femmes de tester leur capacité à vivre seules.

Un départ ne se fait jamais du jour au lendemain ; il se mûrit longtemps. C'est ainsi que les ruptures se déroulent le plus souvent en plusieurs étapes : les femmes quittent leur conjoint violent une première fois, puis elles retournent à ses côtés. Elles répètent ce processus plusieurs fois avant de rompre définitivement. Le fait de quitter, pour un temps, le domicile conjugal leur permet de tester la vie sans le conjoint ; chaque fois qu'elles se retrouvent seules, elles acquièrent un peu plus de confiance en elles et plus d'autonomie. Elles apprivoisent leurs peurs et se rendent compte que, alors que leur conjoint leur avait souvent dit : « Qu'est-ce que tu deviendrais sans moi ? », elles peuvent vivre sans lui. Elles testent aussi son comportement, ses possibilités d'évolution. Elles espèrent jusqu'au dernier moment qu'il va changer.

Ces tentatives de départ permettent aux femmes d'acquérir suffisamment de solidité et de détermination pour envisager de quitter définitivement leur compagnon si celui-ci dérape à nouveau et, en général, il le sent. Très bénéfiques pour les femmes, ces allers et retours sont très mal supportés par l'entourage et les autres interlocuteurs éventuels (associations, médecins...), qui ne comprennent pas et peuvent, par leurs jugements négatifs sur la situation, faire resurgir chez ces femmes un sentiment d'échec et d'impuissance.

Quelquefois, la rupture se fait brusquement, après un déclic, une colère massive ou quand un seuil intolérable est atteint (passage à la violence physique, enfants menacés...) ; cela devient tellement grave qu'il n'y a plus d'autre solution. Les femmes, qui ne partaient pas à cause des enfants, se décident à partir pour protéger leurs enfants.

> Madeleine est partie de chez elle après vingt ans de vie commune, parce que la violence qu'elle subissait, depuis le début de son couple, s'était déplacée sur sa fille aînée. La psychiatre qu'elle consultait lui avait dit que, si elle ne prenait pas les mesures nécessaires pour protéger ses enfants, elle ferait elle-même un signalement.
>
> Jusqu'alors elle n'arrivait pas à trancher, disait-elle, entre priver les enfants de leur père ou les exposer à sa violence, son emprise psychologique et son harcèlement quotidien. Au départ, la violence, du moins le pensait-elle, s'adressait uniquement à elle et hors de la présence des enfants. Quand ceux-ci ont commencé à critiquer ouvertement le comportement de leur père, ses insultes, son constant dénigrement et ses humiliations, ce dernier s'en est pris à eux et a frappé sa fille aînée.

Les intervenants doivent discuter avec les femmes de la façon dont elles souhaitent mettre fin à la situation de maltraitance. Il faut qu'elles soient prévenues qu'une démarche juridique peut entraîner, dans un premier temps, une recrudescence de la violence, et c'est pour cela qu'elles ont besoin, plus que jamais, d'un appui psychologique et de réconfort.

Lorsque la femme décide de partir, il arrive que l'homme essaie de la récupérer en minimisant la gravité de sa violence, en suppliant ou promettant de ne plus recommencer ou bien encore en menaçant de se suicider car submergés par sa propre violence, l'homme la retourne parfois contre lui-même. C'est également lors du départ de la conjointe que peut apparaître le harcèlement par intrusion, comme il a été décrit précédemment.

Quand les femmes prennent la décision de partir, elles sont le plus souvent dans un état physique et moral déplorable. C'est aussi le moment où le sentiment de culpabilité est le plus fort car l'homme qu'elles quittent est aussi celui qu'elles ont aimé ou parfois qu'elles aiment encore. Il arrive souvent qu'elles se préoccupent plus de ses réactions et de ses sentiments à lui que de leur propre situation.

Dans l'état d'épuisement où elles se trouvent, elles sont découragées face aux démarches qu'elles ont à faire. Quel que soit le milieu social auquel elles appartiennent, elles sont démunies financièrement, ne savent pas où aller, ne connaissent pas leurs droits et se demandent vers où se tourner, que dire aux enfants.

Pour celles qui se sentent en danger physiquement, le seul recours est d'aller se réfugier dans un foyer. Mais, même dans les cas de très grave altération de leur santé, il est rare que les femmes qui ont uniquement subi de la violence psychologique fassent appel à un foyer d'hébergement.

Il faut tenir compte du risque qu'une femme court en partant de son domicile. La plupart des homicides de femmes commis par leur conjoint ont lieu une fois que celles-ci sont parties ou quand elles envisagent de le faire. Le conjoint qui se sent abandonné peut avoir une réaction paranoïaque, pouvant conduire à un meurtre familial.

Face à ce danger, les associations ont diffusé des fiches pratiques, très utiles aux femmes qui veulent partir dans un contexte de violence.

Préparer un départ :
Il est prudent d'anticiper et de préparer son départ en imaginant un scénario de protection en cas de danger :

– identifier les personnes qui pourraient venir en aide en cas d'urgence ;

– apprendre par cœur les numéros de téléphone importants : police, associations… ;

– préparer un sac avec un double des clés, de l'argent liquide, des affaires de toilette et un peu de linge ;

– mettre à l'abri les papiers importants : éléments de preuve (certificats médicaux, témoignages, récépissés de dépôt de plainte), papiers d'identité, documents importants (carte de Sécurité sociale, diplômes, chéquiers…).

Partir ne veut pas dire que les femmes soient décidées à divorcer. Elles gardent longtemps l'espoir d'amener leur compagnon à changer. Elles espèrent que la rupture aura chez lui une fonction d'électrochoc et qu'il s'amendera, et, même après l'éloignement, elles ont envie de l'aider et continuent à le plaindre et à l'excuser.

L'AIDE EXTÉRIEURE

Le monde est dangereux à vivre,
non à cause de ceux qui font le mal
mais à cause de ceux qui regardent et laissent faire.

Einstein

Peu de temps après la sortie de mon premier livre, j'ai reçu la lettre suivante de M. X :

Madame,
Votre livre a décrit des situations et des traits de caractère qui me sont familiers.
Notre couple est plongé aujourd'hui dans une crise sans issue. Après réflexion, les interrogations ou tentatives de compréhension que je formule me laissent sans réponse, provoquant un déséquilibre douloureux. La situation conjugale à dimension familiale (deux enfants) s'oriente vers une séparation.
Il m'est nécessaire de vous rencontrer face à cette destinée que j'accepte et que j'aimerais comprendre.
Veuillez agréer…

Trois jours plus tard, je reçois la lettre suivante de Mme X :

Docteur,

Par cette lettre je souhaite tout d'abord vous remercier pour l'aide précieuse que me donne votre livre, il m'aide à franchir des étapes difficiles à vivre.

Après des années de questionnement, de souffrance, de recherche de solutions pour sauvegarder notre famille, je dis à mon mari, début novembre, que je ne pouvais plus imaginer une vie commune et que son acharnement à tout casser était au-delà de mes forces. Je demandais la séparation. J'ai consulté mon médecin, peu après, et lui demandai un arrêt de travail et des anxiolytiques (la première fois de ma vie). En quelques semaines, j'ai perdu trois dixièmes de vision à l'œil droit et me suis retrouvée hospitalisée pour une inflammation du nerf optique et de la substance blanche. Le même type d'épisode moins violent était survenu, il y a quatre ans, lors d'une période très difficile pour moi. À ma sortie de l'hôpital je me suis débattue pour trouver un psychiatre, ayant conscience de ma dépression, et j'ai trouvé un médecin en qui j'ai toute confiance. La colère et la souffrance me donnent l'énergie de refuser toute discussion avec mon mari, sans m'arrêter à ses manœuvres auprès de nos enfants, de m'opposer avec force à ses accusations, en lui demandant de laisser nos enfants en dehors de nos problèmes. En réponse : « Ta gueule ! » et gifle devant l'aîné.

N'ayant pas voulu parler, par respect pour lui, de mes inquiétudes devant l'attitude d'un mari qui était incapable d'assumer ses responsabilités (troisième épisode de chômage de longue durée en huit ans). Après avoir lutté pendant des années contre la démolition systématique des autres, à commencer par tous les membres de ma famille et de nos (mes) amis. Les siens ayant disparu pendant nos deux premières années de mariage. Après avoir renoncé à deux reprises à un troisième enfant que j'avais souhaité, désiré, et que je ne serais pas en droit de mettre au monde, alors que son père prétendait qu'il allait partir, que nous n'avions rien en commun, que j'étais folle, incapable de lui donner ce qu'il voulait (sodomie). Avoir appris qu'en retour il m'avait trompée avec la maman de la meilleure amie de notre fils. Lui avoir demandé de voir un psychologue avec moi, avoir commencé moi-même une analyse, il y a trois ans, interrompue au moment où j'ai perdu deux membres de ma famille.

Avoir été traitée de tous les noms : conne, boulet, mamie, bourgeoise... et ne recevant que des : « Toi, ta gueule, j'aurais dû te faire taire dès le début, tu ne supportes aucune remarque, tu es sur ton piédestal, tu es indépendante. »

Je me bagarre à l'heure actuelle pour rassembler des témoignages, obtenir des certificats médicaux. Mon mari, sachant que je lui demande de se faire soigner et de quitter l'appartement (que j'assume depuis cinq ans), refuse la conciliation, prétend qu'il se fait soigner et qu'il cherche du travail… et que c'est incompatible avec une exclusion familiale.

Je sais par votre secrétaire combien vous êtes sollicitée. Toutefois, je me permets de vous demander un rendez-vous de façon urgente, un certificat médical de votre part me serait d'un grand secours.

Je vous prie d'agréer…

Avant même d'avoir pu proposer un rendez-vous à cette femme, j'apprenais, deux jours plus tard, par un coup de téléphone d'un membre de sa famille, que son mari l'avait tuée, puis avait tué leurs enfants, avant de mettre fin à ses jours.

Ce courrier, terrible, nous montre bien le décalage entre les discours des deux conjoints. La lettre de M. X est vague et nullement inquiétante. Dans celle de sa femme, on sent à la fois du désespoir et de la détermination. Elle décrit tous les registres de la violence psychologique, l'isolement, les insultes, la manipulation, les pressions, et elle ne parle que de façon accessoire de la violence physique. Mais elle dit aussi que son mari s'oppose à son départ, et, nous l'avons dit avec insistance, la dangerosité est augmentée lors des séparations.

Dans la violence de couple, de façon habituelle, le discours des hommes n'a rien à voir avec celui de leur femme. C'est comme s'ils ne parlaient pas de la même situation. Or, le plus souvent, nous préférons n'entendre que la version la moins dérangeante, partant du principe que la femme exagère certainement.

Il n'en est rien, comme nous l'avons vu, puisque au contraire, elles ont tendance à minimiser les faits.

C'est pour cela, j'insiste, qu'il faut prendre au sérieux la violence psychologique. Ne pas attendre qu'une femme soit frappée ou tuée pour réagir.

QUE PEUT FAIRE L'ENTOURAGE ?

Comme c'est le cas pour les personnes prises dans des sectes, c'est souvent la famille ou les amis proches qui s'inquiètent en premier de la métamorphose manifeste de la victime. Mais ils sont désemparés et ne savent pas quelle conduite tenir. Comment aider une femme visiblement malmenée par son mari ?

Ceux qui voudraient aider ne comprennent pas l'escalade de la violence. Ils aimeraient que les femmes réagissent avec plus de force, pour ne pas laisser faire. Comme la victime principale ne dit rien, on pense qu'elle a ses raisons et on ne bouge pas ou bien on banalise : « Ce n'est pas si grave ! », « Tu prends les choses trop à cœur ! » Il arrive aussi que l'entourage rende la femme responsable : « Tu l'as cherché ! », « Tu sais qu'il est coléreux, il ne fallait pas l'énerver ! ».

> Lorsque j'en ai parlé à ma tante, elle m'a seulement dit : « Qu'est-ce que tu peux faire pour arranger ça ? » au lieu de dire : « Ce n'est pas normal ! » Et ma mère a ajouté : « Certes, il a un caractère difficile, mais il faut faire avec. L'important, c'est qu'il

252

t'aime. » Ce n'est pas étonnant car, dans la vie quotidienne, il pouvait être charmant avec mon entourage. Il faisait ses coups en douce, sans témoins.

Les femmes victimes sont très sensibles aux réactions de leur entourage. Or, elles rencontrent souvent de la commisération, de la gêne, du rejet ou de la culpabilisation, attitudes négatives qui renforcent leur difficulté à dénoncer les faits.

Une querelle ou une explosion de violence entre mari et femme ou entre amants est encore trop souvent considérée comme une affaire privée. Il est fréquent d'entendre des gens rapporter qu'ils ont entendu des cris de femme chez leurs voisins, mais qu'ils n'ont pas réagi, attendant seulement que le silence revienne, pour se rendormir ou regarder tranquillement la TV…

Pour repérer qu'une femme est violentée régulièrement, il faut être fin observateur ; noter qu'elle est devenue apathique, renfermée, déprimée, qu'elle est sur le qui-vive, toujours nerveuse en présence de son partenaire ; remarquer que l'homme répond à la place de la femme, qu'il contrôle ses sorties, sa tenue, ses fréquentations, qu'il décide pour elle, la critique ou se moque d'elle devant les autres.

Il faut alors tenter de parler à cette femme sans témoins, l'écouter sans juger, en respectant la confidentialité de ses paroles. En cas de besoin, elle doit pouvoir contacter quelqu'un ou des personnes extérieures : assistante sociale, associations, médecins.

Observer le comportement de l'homme lui-même ne permet pas de comprendre la situation. D'ailleurs, si on interroge les voisins et amis sur la façon d'être de ce dernier, ils disent habituellement qu'ils n'ont rien constaté car, comme on l'a vu, la plupart d'entre eux ont un comportement socialement acceptable. Les amis et collègues ne remarquent pas la montée de la tension qui précède l'acte de violence. Tout au plus pourraient-ils dire que la personne leur paraît un peu préoccupée, tendue ou distraite.

Il est rare que l'agresseur expose publiquement son comportement et, généralement, les personnes qui auraient pu aider la femme ont été écartées. Il ne faut pas oublier que, dans la mise en place de la violence, la femme est isolée de ses amis, de sa famille, de tous ceux qui pourraient l'amener à réagir.

> Alain est notaire dans une ville de province. C'est un notable apprécié de ses pairs, membre de plusieurs clubs fréquentés par l'élite régionale. De lui dépendent une trentaine d'emplois.
>
> Lorsque Brigitte, sa femme, osa se plaindre de la violence de son mari, elle dérangeait visiblement cet ordre provincial. Elle eut, tout d'abord, du mal à faire établir un certificat médical pour les coups qu'elle avait reçus, puisque les plus proches médecins étaient des amis de son mari. Bien sûr, le jour où Alain poussa Brigitte hors de la voiture en marche et qu'il la traîna sur plusieurs mètres, les certificats médicaux réalisés à l'hôpital furent accablants. Pourtant, Alain ne fut condamné qu'à une forte amende car mettre cet homme en prison aurait mis au chômage technique les salariés de son étude. Bien sûr, la chambre des notaires locale aurait pu nommer un administrateur provisoire, mais elle ne l'a pas fait.

Grâce à l'aide d'une association de femmes, Brigitte put partir de chez elle, mais, par la suite, comme elle n'avait ni chéquier ni carte bleue, elle n'eut d'autre solution que de se faire héberger chez des amis, en attendant le divorce.

LA RÉPONSE
DES PROFESSIONNELS DE SANTÉ

La violence conjugale reste un phénomène très sous-estimé, y compris par les professionnels de santé. Quand les femmes violentées consultent, elles ne précisent pas l'origine de leurs troubles ou bien elles allèguent une explication plus ou moins crédible (chute dans l'escalier, choc sur une porte ouverte). Il faudrait donc que les professionnels de santé apprennent à repérer des indices de violence conjugale. Mais, d'une part, ils ne sont pas suffisamment formés et, d'autre part, ils craignent souvent d'offenser leurs patientes, en posant des questions trop directes. Seuls les médecins sensibilisés à cette problématique savent établir un diagnostic. Malheureusement, certains continuent à penser qu'il s'agit d'une affaire privée, d'autres sont encore influencés par les idées réçues sur les femmes.

Par ailleurs, les généralistes redoutent la réaction des familles et, soumis au secret professionnel, ils craignent des retombées judiciaires, d'autant qu'ils ne sont pas toujours soutenus par les conseils régionaux de l'ordre des médecins.

De nombreux médecins se contentent de prescrire des tranquillisants et des analgésiques pour atténuer les symptômes, mais, comme la femme reste dans la situation traumatisante, rien ne change. Les médicaments peuvent lui faire supporter des situations qu'elle ne tolérerait pas habituellement. Le risque est, qu'en cas de malaise accru, elle dépasse les doses et tente de se suicider, ou que, sur le long terme, s'installe une dépendance aux anxiolytiques.

Une femme victime de violence est perturbée par ce qu'elle vit, aussi il faut veiller à ne pas la transformer en malade mentale. Il est important de la rassurer et de lui dire que ce n'est pas elle qui a un problème, mais son partenaire.

Quand un médecin pense qu'une femme est victime de violence conjugale, il doit évaluer les conséquences physiques et psychologiques de cette maltraitance : état anxieux, état dépressif, éventuellement stress post-traumatique, afin de discuter de l'opportunité d'un traitement pour la soutenir. Mais, attention, il faut se méfier d'un traitement antidépresseur prescrit trop vite avant évaluation, qui pourrait venir masquer les symptômes et donner l'illusion que le problème n'est pas si grave.

Dans sa thèse de médecine, le docteur Cécile Morvant a analysé l'attitude des médecins généralistes face aux violences conjugales[1]. Alors qu'ils ont pour rôle de repérer et traiter les victimes de violence conjugale, d'organiser leur suivi et leur orientation vers d'autres professionnels, Cécile Morvant

1. Morvant C., *Le Médecin face aux violences conjugales,* thèse pour le diplôme de docteur en médecine, université Paris-VI – Pierre et Marie Curie, 2000.

montre qu'ils ne se sentent pas suffisamment formés pour mener à bien cette prise en charge. En particulier, il n'est pas sûr que les certificats médicaux soient toujours bien rédigés. Pourtant, ce sont des documents essentiels en cas de procédure.

Il s'agit d'un réel problème de santé publique et les professionnels de santé ont un rôle primordial à jouer dans les soins et l'aide aux victimes, mais aussi dans la prévention de la violence faite aux femmes. En février 2001, le rapport du professeur Henrion[1], remis au ministre de la Santé, met en garde les médecins sur les conséquences des violences exercées dans la relation de couple et, notamment, sur l'état de santé de la personne qui les subit. Il suggère un dépistage systématique, lors de l'interrogatoire médical, et, en particulier, auprès des femmes enceintes. Il serait, par ailleurs, utile qu'aux urgences on pense à demander aux femmes si leur blessure ou leur maladie est en rapport avec des violences du partenaire.

Le site Internet de l'Institut de l'Humanitaire (www.sivic.org), destiné aux professionnels de santé européens, propose quelques pistes pour aborder ce sujet difficile. Des messages (affiches, dépliants, etc.) dénonçant les violences exercées contre les femmes peuvent contribuer à faire connaître l'ampleur du phénomène et à en parler.

---

1. *Les Femmes victimes de violences conjugales, le rôle des professionnels de santé.* Rapport au ministre délégué de la Santé, par un groupe d'experts sous la présidence du professeur Roger Henrion, La Documentation française, Paris, 2001.

Établir des instruments de dépistage implique que les professionnels (médecins, psychologues, sages-femmes, assistantes sociales), en lien avec les associations, puissent travailler en réseau pour établir un suivi de la personne victime.

LA RÉPONSE DES ASSOCIATIONS

L'aide aux femmes victimes de violence conjugale est une prise de conscience relativement récente, puisque les premiers foyers d'accueil pour femmes battues ont été créés aux États-Unis, au début des années 1970. En France, des groupes féministes ont créé des associations visant à aider les femmes violentées, et la première structure d'hébergement pour les femmes battues et leurs enfants, le centre Flora Tristan, a été créé en 1978. Les associations se sont regroupées, en 1987, en Fédération nationale Solidarité Femmes.

Actuellement, des dispositifs ont été mis en place pour que les femmes soient accueillies dans l'urgence, dans des centres d'accueil ou d'hébergement. Une permanence téléphonique a été créée en 1992, à la demande du secrétariat aux Droits des femmes :

Violence conjugale femmes info service
01 40 33 80 60
3615 SOS FEMME

Le secrétariat aux Droits des femmes et à l'Égalité a édité un certain nombre de brochures à destination des femmes bien sûr, mais aussi pour les intervenants sociaux, pour la gendarmerie, la police, les professionnels de santé.

D'autres documents ont été rédigés par la direction générale de la Santé et sont disponibles dans les préfectures ou auprès des déléguées des droits des femmes. Des formations ont été mises en place pour les professionnels de la police et pour des intervenants sociaux.

Sous l'impulsion des ministères successifs chargés des droits des femmes, l'État s'est engagé dans la lutte contre les violences conjugales, avec la collaboration d'autres ministères. Cette politique s'articule autour de différents axes :

— la sensibilisation de la population et la formation des intervenants ;

— l'aide aux victimes ; l'État intervient en aidant les associations ;

— la répression de la violence conjugale.

Comment intervenir ?

Pour aider une femme qui subit de la violence, il faut avant tout éviter de juger ou de culpabiliser, et lui rappeler que la loi sanctionne ce type d'agissement.

Il faut évaluer la maltraitance en tenant compte du fait que, même dans des cas de violences avérées, les femmes cherchent des excuses à leur agresseur et minimisent la gravité de ses actes.

Il faut répondre à toute demande d'aide formulée dans l'urgence, et assurer la sécurité de la victime et de ses enfants, en l'orientant vers des associations spécialisées et autres lieux de soutien.

En cas de crainte d'un danger physique, il faut développer avec elle un plan de sécurité, l'aider à repérer très vite les moments où elle est le plus en danger. Pour cela, il faut analyser en détail les contextes dans lesquels les précédentes violences se sont produites. Lorsque le couple est séparé, la femme doit changer les serrures, se faire raccompagner quand elle sort seule le soir et, d'une façon générale, éviter toute rencontre ou éviter d'être seule avec l'agresseur. Lorsque le couple vit toujours ensemble, la femme doit repérer les escalades de violence et trouver une échappatoire pour y mettre fin.

Les femmes doivent apprendre à réagir quand leur compagnon devient violent : rester calmes, essayer de comprendre ce qui l'a contrarié et ne pas répondre aux provocations. S'il menace de frapper, il faut tenter de partir ou encore s'enfermer dans la salle de bains avec un téléphone portable. En cas de consultation médicale, s'il y a eu des coups, il faut que la femme demande un certificat d'incapacité totale de travail (ITT), même si elle n'a pas d'activité professionnelle, et qu'elle le confie à une personne de confiance.

Il faudra ensuite chercher un soutien psychologique, pour lui permettre de sortir de l'emprise.

Mais il ne faudra pas négliger les solutions permettant un retour à l'emploi. Par le biais d'une formation professionnelle, les femmes reprennent confiance en elles. Elles se rendent compte qu'elles sont capables d'être appréciées pour elles-mêmes.

LA RÉPONSE JUDICIAIRE

L'homme ne s'autorise cette violence que parce qu'il pense que sa femme ne dira rien et, généralement, il fait ce qu'il faut pour qu'elle se taise. Une situation abusive s'aggrave toujours avec le temps, il faut donc intervenir de l'extérieur pour l'interrompre.

Mais les femmes hésitent à porter plainte. Elles ne le font pas, disent-elles, pour ne pas augmenter la violence du partenaire et, la plupart du temps, elles se contentent de faire établir des mains courantes. Mais cela ne fait pas avancer leur situation car une main courante n'est qu'une simple trace de signalement qui n'aboutit pas à une enquête. Il arrive aussi que les policiers prennent eux-mêmes l'initiative d'apprécier la gravité de l'affaire, estimant que la femme exagère, et décident qu'une simple main courante suffit. Pourtant, on a constaté que le dépôt de plainte diminue la recrudescence des agressions physiques, même si le mari violent considère que sa femme fait du chantage. Ce sont souvent ces mêmes hommes qui exercent des pressions auprès de leurs compagnes pour leur faire retirer leur plainte. Piégées par la culpabilité, celles-ci finissent par céder dans plus de la moitié des cas.

Tant qu'elles vivent au domicile conjugal, pour ne

pas subir de représailles, elles ont peur de dénoncer ce qu'elles subissent. Cependant, il faut savoir que, lorsqu'une femme retire sa plainte, le parquet peut décider de poursuivre quand même l'homme violent. Mais cela ne se produit qu'en cas de violence physique, il faudrait donc, au cas par cas, étendre cette mesure à des cas plus subtils de violence psychologique, en prenant l'avis d'un psychiatre ou d'un psychologue.

Il est dommage qu'à ce moment-là les femmes ne prennent pas conseil pour connaître leurs droits. Généralement, elles attendent d'être décidées à divorcer pour consulter un avocat.

En France, depuis 1994, la violence sur conjoint est une circonstance aggravante. Si l'ITT est supérieure à 8 jours, les peines sont augmentées, sauf en cas de séparation du couple au moment des faits. Des mesures ont été récemment prises pour lutter contre les violences faites aux femmes. La loi relative au divorce, entrée en vigueur le 1er janvier 2005, prévoit l'éviction du conjoint violent, afin de permettre à la victime de rester au foyer avec ses enfants. Un guide public, *La Lutte contre les violences au sein du couple*[1], a été distribué par le ministère de la Justice à tous ceux qui sont en contact avec des victimes, afin de favoriser l'écoute, le soutien, l'aide et l'information.

Même s'il existe des textes, il est encore difficile pour une femme victime de violence de déposer une plainte à la police et d'envisager que cette plainte

---

1. *La lutte contre les violences au sein du couple*, Guide de l'action publique, Ministère de la Justice, 2005.

sera suivie de mesures judiciaires efficaces. Aussi, des recommandations ont été faites pour aider les femmes.

Face à cette profusion de mesures, il a été objecté qu'il ne devrait pas y avoir un droit distinct pour les hommes et pour les femmes ; le droit doit être le même pour tous. Bien sûr, la criminalité n'a pas de sexe, mais on peut reconnaître que, s'il faut des mesures spécifiques pour les femmes victimes de violence conjugale, ce n'est pas parce qu'elles sont femmes mais parce qu'elles sont plus souvent victimes.

Dans certaines circonscriptions, les hommes violents sont entendus systématiquement et semoncés par la police. Les policiers sont de mieux en mieux formés, mais il y a encore beaucoup à faire car, quand il n'y a pas eu violence physique constatée par un certificat médical, il peut encore arriver qu'une femme victime soit entendue en présence de son partenaire.

Il est important d'imposer une solution judiciaire dès lors qu'il existe une violence physique, et de la proposer lorsqu'une personne se plaint de violence psychologique.

Pour le moment, la plupart des divorces consécutifs à des violences le sont « aux torts partagés ». Pour obtenir un divorce pour faute, il faut que les violences physiques soient suffisamment graves pour rendre le maintien de la vie commune impossible.

Les médiations

En cas de plainte pour violence conjugale, les juges peuvent être tentés de proposer une médiation. Le danger d'une médiation est de banaliser la violence et de la ramener à un simple conflit de couple ; on rapproche les deux conjoints en demandant à chacun de faire un pas vers l'autre. Or, nous l'avons dit, dans la violence conjugale, les deux parties ne sont pas égales, la relation est asymétrique. Il y a, d'un côté, un conjoint abusif et, de l'autre, une femme qui porte seule la culpabilité de l'échec de la relation. Il semble que les juges commencent à le comprendre, en ce qui concerne la violence physique flagrante, mais n'en tiennent pas suffisamment compte, quand il s'agit de violence perverse. Or, c'est justement dans ce type de violence que l'on voit les emprises les plus fortes. Une femme qui a peur est paralysée et ne peut pas s'exprimer librement. Au cours de la médiation, elle n'osera pas exprimer ses idées, son ressenti, ses émotions, sous peine de représailles. Elle peut se sentir doublement victime, puisque sa souffrance n'est pas reconnue. Or, quand il y a une médiation pénale, il y a classement sans suite, c'est-à-dire qu'il n'y a aucune poursuite pénale contre la personne mise en cause.

Les expertises

On cherchera à évaluer la dangerosité du conjoint violent en cas de violence physique, mais lorsqu'il s'agit de violence psychologique, cela nécessite l'expertise d'un professionnel sachant repérer la manipulation.

Lors des séparations, quand il n'y a pas de certificats de coups et blessures, attestant sans conteste la réalité de la violence, les victimes ont bien du mal à se faire entendre. Les avocats réclament alors une expertise psychologique qui, à moins de pathologie évidente de l'un ou de l'autre, est le plus souvent décevante.

Véronique et Henry, tous les deux très amoureux au départ, se sont mariés à l'âge de trente ans et ont eu deux enfants.

Après la venue du premier enfant, les choses se sont dégradées rapidement : injures, insultes, réprimandes diverses de l'homme sur la femme, humiliations, disqualifications, parfois même en public.

Pour comprendre, Véronique consulte une conseillère conjugale. Son mari ne l'accompagne que deux fois, disant que cela ne sert à rien, que Véronique jette l'argent du ménage car, de toute façon, elle n'écoute pas ce qu'on lui dit.

La violence physique a suivi, « Véronique n'avait que ce qu'elle méritait », disait Henry. Véronique fait constater les coups et obtient 11 jours d'ITT. Malgré la différence de corpulence des deux conjoints (100 kg pour lui, 53 kg pour elle), l'affaire est classée sans suite par le procureur de la République, considérant qu'il s'agissait d'une grosse dispute entre adultes.

Lors du divorce, l'expertise psychologique demandée disait en substance.

— M. X est un homme intelligent, sobre et posé ; il sera visiblement ému à l'énoncé de la requête de divorce, se sentant « sali ». Il déniera complètement l'accusation portée sur lui de violence, exprimera le regret d'avoir fessé deux ou trois fois ses enfants trop fortement.

Il explique les agissements de son épouse comme étant une difficulté personnelle à supporter la contradiction, ce qui explique leur mésentente, voire le recours à la violence de sa part à lui.

— Mme X est « fixée » sur la violence de son mari. Elle évoque des situations de conflit où elle ne semble pas passive mais toujours volontaire et ce jusque dans la description de cette fameuse scène conjugale.

Pour Mme X, l'idéal d'une vie à deux s'est estompé rapidement dans l'expérience de leur vie commune. Sa rébellion s'est majorée au fil du temps, auprès de son mari, pour devenir une relation dysharmonique, le lieu commun d'une conjugopathie.

Mme X a eu le tort, aux yeux de l'expert, de ne pas être passive, de ne pas être suffisamment « sous emprise ». Malgré ses onze jours d'ITT, elle ne correspond pas au profil typique de la femme battue. L'expert conclut : « Rien n'indique qu'une violence puisse être attribuée davantage à la pathologie de l'un des deux parents, elle est simplement le fruit de leur conjugopathie. »

Comme l'expert ne relève aucune pathologie chez les deux conjoints, il considère que la situation est égale. Influencé peut-être par la profession d'Henry (il travaille dans les ressources humaines, alors que Véronique est secrétaire), il ne tient pas compte de l'inégalité des positions dans le couple, pas plus qu'il ne tient compte de leur inégalité physique.

Cette relation est-elle vraiment égale ? L'expert prend au mot le discours d'Henry mais, nous l'avons vu, les hommes violents ne reconnaissent jamais leurs agissements. Certains experts ne prennent en compte que les pathologies psychiatriques évidentes, or les individus violents ne présentent que rarement une maladie mentale. Les personnes violentes nient toujours les faits et les plus habiles d'entre elles, les pervers narcissiques, savent donner d'eux une apparence irréprochable, tout en chargeant le conjoint.

Il est vrai que des violences peuvent être alléguées sans être fondées, au moment d'un divorce. Lorsqu'une femme a été victime de violence dans son couple, elle peut se demander si l'homme, qui a eu ce comportement avec elle, ne risque pas d'être dangereux pour ses enfants. A cela les juges répondent : « Votre mari a été violent avec vous, pas avec vos enfants. » La femme peut avoir des raisons de s'inquiéter du comportement du père à l'égard des enfants, il n'en reste pas moins qu'elle sera lourdement sanctionnée si elle ne respecte pas le droit de visite. Si les juges sont si prudents, c'est qu'ils craignent ce qui a été appelé le *syndrome d'aliénation parentale.* Il arrive, en effet, que, lors d'une séparation, l'un des parents cherche à manipuler un enfant et le monte contre l'autre parent, lui faisant croire que ce dernier a tous les torts.

Pour éloigner le père de la vie de leur enfant, certaines femmes n'hésitent pas à accuser leur conjoint de violence ou, pire, d'abus sexuel sur cet enfant, ce qui explique la méfiance des juges devant de telles allégations.

En cas de violence psychologique, la manipulation peut se poursuivre longtemps après la séparation, par le biais du droit de visite. Alors qu'ils font pression, au moment du passage devant le juge, pour avoir la garde des enfants, les hommes violents qui ont un profil narcissique chercheront ensuite des prétextes divers pour échapper à leurs devoirs parentaux. Les hommes rigides, au contraire, exigeront que leurs enfants leur soient remis à une heure précise et tout retard sera immédiatement transformé en plainte pour non-présentation d'enfant. Il apparaît que ces hommes n'ont pas vraiment envie de passer un bon moment avec leurs enfants ; ils veulent seulement exercer un droit, leur droit de visite. L'enfant est instrumentalisé comme leur mère l'avait été.

Comment prouver la violence psychologique ? Les juges statuent sur des preuves. Or, très souvent l'entourage se désengage au moment de témoigner. Devant un juge, un homme violent, s'il n'existe pas de preuve de ses agissements, va se présenter en victime. Il parlera calmement et fera en sorte de présenter sa femme comme une hystérique. La femme cherchera à se défendre et, plus elle se justifiera, plus elle s'enfoncera. Les juges, craignant alors la manipulation, préféreront ne pas trancher et opteront pour une solution intermédiaire.

Les femmes victimes sont souvent déçues des décisions de justice car elles savent que, quelle que soit la gravité de ce qu'elles ont subi, la sanction sera rarement en proportion. À moins qu'elle ne soit très flagrante, ce qui est rare quand des procédés pervers sont utilisés, les juges tiennent rarement compte de la violence psychologique. Pourtant, les victimes ne peuvent panser leurs blessures qu'une fois qu'elles sont reconnues comme victimes et que l'agression a été sanctionnée.

Mon mari a toujours été violent verbalement mais, le jour où il m'a rouée de coups et a frappé notre fils, j'ai décidé de le quitter. Comme il s'obstinait à nier et à dire que j'étais tombée dans l'escalier, après deux ans de procédures, le divorce n'a toujours pas été prononcé. Au bout de six mois d'enquête sociale, on m'a expliqué que mon mari était fou amoureux de moi et qu'entre nous ce n'était qu'un problème de communication. Mon fils hurle quand il doit aller chez lui, pourtant, malgré l'avis d'un expert psychiatre qui a conclu que « le père était dangereux pour son enfant », je n'ai toujours pas obtenu que les visites se passent en présence d'un tiers.

Une femme m'a adressé anonymement cette lettre, qui illustre parfaitement la difficulté qu'ont les femmes à se faire entendre et comprendre :

« Je fais malheureusement partie de ces victimes qui ne peuvent se défendre en faisant valoir leurs droits, prises au piège de certains hommes qui connaissent les lois et procédures et qui mettent tout en œuvre pour surveiller les moindres faits et gestes de leurs conjointes. »

Avant de pouvoir sortir définitivement des griffes de son conjoint et être protégée par les services de police et sociaux, il faut, bien évidemment, un certain nombre de pièces prouvant les faits tels que : certificats médicaux, attestations établies par les services médico-judiciaires, témoignages écrits d'amis et voisins…

Mais que doit-on faire lorsque l'agression se fait dans l'intimité la plus totale ? Sans témoins. Au milieu de la nuit. Sans coups, ni blessures apparentes, sans marques prouvant qu'il y a eu usage de la force. Car on oublie souvent de parler de la force morale, de la peur et donc du consentement forcé de la femme, afin de protéger les enfants qui dorment dans une autre pièce.

Dans ce cas, beaucoup plus fréquent que l'on ne peut l'imaginer, concrètement, que se passe-t-il ?

La femme porte plainte au commissariat et une convocation sera envoyée au conjoint, à l'adresse où vit également cette dernière. Croyez-vous que cet homme si intelligent dira à sa femme : « Tiens ? Je suis convoqué. Ce doit être à cause du mal que je t'ai fait. On va au restau ce soir, chérie ? » Ou peut-être dira-t-il au juge : « Effectivement, Monsieur le Juge, je me rends compte de la gravité de mon acte. Je laisse ma femme tranquille et je quitte le domicile conjugal sans créer de problème. » Non, cela n'arrive qu'aux gens normaux.

En connaissance des faits, permettez-moi de vous exposer le scénario de façon plus réaliste :

Avec la peur au ventre et une angoisse continue qui vous fait sursauter au moindre bruit de pas ou coup de klaxon, le portable à la main avec cette crainte de ne pas savoir quoi dire lorsqu'il appellera, parce que, c'est certain, il va appeler ; parce qu'il se doute de ce qu'elle est en train de faire, alors il prend des précautions. Elle arrive au commissariat, où il faudra à peu près trente minutes avant qu'un agent ne la reçoive, et trente minutes c'est long, trop long lorsque l'on a peur. Une fois la plainte déposée, elle demande à être protégée et elle sera dirigée avec ses enfants vers un foyer d'urgence. Quelque temps après, lui sera en garde à vue à la demande du procureur. Puis un avocat assurera sa défense, en prononçant la phrase fatale : « Quelles preuves réelles peut apporter Madame sur la conduite de Monsieur ? Aucune », « L'interpellé est libre. Qu'il ne recommence pas ou il risque d'être à nouveau mis en examen. »

Évidemment, je sais ce que vous pensez : « Elle ne devrait pas marcher au chantage, qu'elle cesse d'avoir peur, elle est sous protection dorénavant. » Je vous pose la question, sous la protection de qui ? De quoi ? Je vous assure que lorsque la peur fait partie intégrante de votre vie, on a l'impression que jamais personne ne peut vous venir en aide. Lorsque, pendant des années, on a été manipulée, harcelée, violentée, trahie, violée, c'est celui qui vous a fait tout cela qui devient le chef d'orchestre de votre vie. Lui n'a peur de rien, vous, vous avez peur de tout.

Que reste-t-il à cette femme pour aimer encore la vie, mis à part l'amour qu'elle porte à ses enfants ? Mais, un jour, ils partiront, n'auront plus besoin d'elle. Comment vivre avec une mère qui fait semblant d'être heureuse pour leur bien ?

Les plaintes pour violences psychologiques sont rarement enregistrées dans les commissariats ou bien sont classées sans suite, pour « infraction insuffisamment caractérisée » ou bien parce qu'il n'y a pas de « preuves ».

En principe, une victime impliquée dans un dossier judiciaire doit présenter des preuves. Or les femmes sont maltraitées dans l'intimité du couple et de la famille, et malgré la gravité de ce qu'elles subissent, elles sont incapables de quitter le foyer. Le sens commun ne suffit pas à comprendre d'emblée ce qu'elles ont vécu et pourquoi elles réagissent comme elles le font.

Comment faire appliquer la recommandation préconisée dans le guide *La Lutte contre les violences au sein du couple*[1] : « Les classements sans suite, "secs", doivent, par principe, être proscrits en matière de violences au sein du couple, les classements sans suite sous condition devant constituer la réponse pénale minimale donnée par l'autorité judiciaire à des faits de cette nature. »

Il n'est pas question de porter devant la justice des affaires qui peuvent être traitées autrement, mais il est important d'écouter toutes les plaintes car nous avons vu que les femmes sous emprise se défendent mal. Elles ont donc besoin de soutien pour réagir et refuser la violence.

---

1. *La Lutte contre les violences au sein du couple, op. cit.*

Lorsque la femme a porté plainte et que l'homme est sous contrôle judiciaire, elle ne peut plus tellement craindre les agressions physiques car il est sous surveillance et, en cas de dérapage, il est sanctionné. Le vrai risque est ailleurs ; il peut mettre une pression considérable sur sa femme et la pousser à l'autodestruction car il est paniqué d'être quitté. C'est à ce moment-là que les femmes font des erreurs, cèdent au chantage, signent des papiers, donnent de l'argent, se mettent en difficulté sur le plan professionnel.

Selon l'expérience canadienne[1], il semblerait que la mise en accusation automatique et le non-retrait des poursuites, pour éviter une récidive, soient un échec. L'arrestation produit un effet dissuasif à court terme, mais la violence reprend plus tard et est plus sérieuse. De plus, la dissuasion peut marcher chez les hommes qui ont un emploi et une bonne insertion sociale, mais chez les autres, plus défavorisés, voire sans emploi, elle ne fait qu'amplifier la colère et la révolte.

Cela ne veut pas dire qu'il ne faut rien faire, mais qu'il faut faire différemment et, surtout, penser en termes de prévention.

Sanctionner un homme violent est, pour la victime, une reconnaissance publique de sa souffrance, c'est donc indispensable. Mais cela doit être accompagné d'un travail éducatif, afin de donner un sens

---

1. Parent C., « Le système judiciaire dans la lutte contre la violence exercée contre une conjointe : une mesure incontournable mais piégée », in *La Violence conjugale, Partnergeweld*, Bruxelles, Bruylant, 2004.

au droit. Après la sanction, il importe qu'un travail thérapeutique, axé sur la restructuration psychique, soit proposé à la victime.

Qu'il y ait une réponse judiciaire est indispensable, mais ce n'est pas suffisant. Il y aura toujours des cas qui nécessiteront une approche plus fine.

S'il est légitime d'aider les femmes à sortir d'une situation de violence morale, il faut prendre garde à ne pas les enfermer dans une position de victime et à ne pas les pousser à des revendications sans fin. Il est normal qu'une femme qui a été battue et maltraitée soit dédommagée, mais le versement de dommages et intérêts ne s'applique pas forcément en toute circonstance et, notamment, en cas de violence psychologique. Nous voyons parfois des femmes qui ont été malheureuses dans leur couple et qui, au moment du divorce, veulent « faire payer », au sens littéral du terme, leur ex-conjoint. Ces femmes doivent aussi prendre leur part de responsabilité. Ce qui importe, c'est, avant tout, que la situation cesse et qu'elles puissent se reconstruire une autre vie. La plainte et la revendication sans fin ne permettent pas le changement. Elles entretiennent ainsi une guerre des sexes, qui se fait toujours au détriment des enfants.

Au cours des procès, la haine et le désir de vengeance peuvent entretenir la douleur chez les victimes. La procédure maintient un lien puissant avec le partenaire qui continue d'occuper leurs pensées, de les envahir d'affects destructeurs. Cela ne leur permet pas de sortir de leur position de victime.

Répondre à la violence par la violence, c'est transmettre la souffrance, cela ne résout rien. Certes, celui qui a souffert d'une violence injuste ou plutôt celui qui a été réduit à l'impuissance devant une injustice peut vouloir obtenir réparation, mais cela n'est pas suffisant pour retrouver une paix intérieure. Il faut accepter qu'en sortant de l'emprise, plus rien ne sera comme avant, et rompre avec ses propres sentiments destructeurs.

Pour éviter d'entrer dans un processus de vengeance éternelle, la victime doit pouvoir nommer le préjudice sans agressivité.

L'IMPORTANCE
DE LA PRÉVENTION

La meilleure façon de se protéger, c'est de comprendre.

« Que peut-on faire ? » demandait la femme anonyme dans sa lettre.

« L'État a-t-il conscience que nous, femmes victimes de violences conjugales, élevons les enfants qui, plus tard, feront la société ? Et que, si nous voulons que cette société soit faite d'hommes responsables et respectueux, ce n'est pas dans la peur et la violence de l'être humain que nous y arriverons. »

Il nous semble important, en effet, de penser aux générations futures et au monde que nous leur préparons.

Actuellement, sous la pression des associations, le gouvernement prend des mesures contre les agresseurs mais tarde à mettre en place une prévention plus globale de la violence. On tient compte de l'agression, c'est-à-dire de l'évènement ponctuel, mais pas suffisamment de ce qui l'a provoquée, c'est-à-dire du noyau de la violence. Or, si l'on veut venir à bout de la violence conjugale, il faut envisager une action plus en amont ; l'accent doit être mis sur l'éducation, celle des adultes et surtout celle des jeunes.

On a vu que les programmes thérapeutiques destinés aux hommes violents ont peu de résultats positifs. D'une part, ils concernent une minorité d'entre eux et, d'autre part, leur action est limitée aux agressions physiques et concernent peu la violence psychologique. Les hommes ne semblent pas conscients de la domination qu'ils exercent sur leur partenaire et ils minimisent les faits de violence psychologique.

Une équipe canadienne, qui avait mis en place un programme de traitements pour conjoints violents, a interrogé des couples sur les épisodes de violence qu'ils avaient connus au cours des six derniers mois. Alors qu'hommes et femmes s'accordaient à peu près sur les agressions physiques, il apparaissait qu'en ce qui concerne la violence psychologique, les hommes avaient beaucoup moins de faits à relater. Ce n'est pas nécessairement qu'ils mentent par omission, c'est peut-être, tout simplement, qu'ils ne sont pas conscients de la domination qu'ils exercent sur leur partenaire.

Sans revenir sur ce qui a été dit précédemment, rappelons que selon le modèle patriarcal qui est toujours prédominant, beaucoup d'hommes, même s'ils ne le disent pas parce que ce n'est pas politiquement correct, continuent à penser qu'il est normal d'appliquer des traitements violents à leur compagne ou, tout du moins, de la disqualifier pour mieux la dominer. Beaucoup de femmes trouvent des excuses aux comportements violents de leur partenaire. Alors que les féministes des années 70 avaient fait considérablement évoluer les conditions féminines, depuis vingt ans, on a vu la violence faite aux femmes plutôt globalement augmenter dans la population. Pendant ce temps, des intellectuels discutent, à la place des femmes concernées, sur ce qu'elles doivent ou ne doivent pas accepter.

Il serait bénéfique, dans la prévention, de mettre l'accent sur les formes plus subtiles de violence, c'est-à-dire, la domination et les menaces, de développer une sensibilité à la violence, d'apprendre à la repérer et à la refuser. Il s'agit d'améliorer la perception que les personnes ont d'elles-mêmes.

Il n'est pas question d'opposer hommes et femmes ; il faut au contraire leur apprendre à fonctionner ensemble sur un autre mode que celui de la domination/soumission.

Tous les hommes ne sont pas violents. Notre société n'est pas une société dirigée par les hommes contre les femmes, mais une société dirigée par certains hommes dominants contre tout autre plus faible, ce qui inclut, bien évidemment, les femmes. C'est la loi du plus fort, et ces hommes tiennent à garder leur pouvoir.

Or c'est ce modèle d'hommes dominants qui est proposé aux jeunes à travers la télévision et les jeux vidéo. C'est ce même modèle qui est poussé à l'extrême dans la pornographie qui, par le mépris des femmes qu'elle encourage et le lien qu'elle opère entre plaisir sexuel et agression, renforce la domination des hommes sur les femmes. On continue ainsi à fabriquer des hommes forts, autoritaires, sans émotions, et sans aucune sensibilité.

Il faudrait que les hommes qui fonctionnent selon un autre registre, qui s'autorisent plus de sensibilité et de tendresse soient d'avantage mis en avant. En effet, le monde a changé et la force physique n'est désormais plus requise par notre mode de vie actuel ; la solidité peut s'exprimer autrement. Il serait bon que les hommes travaillent à la construction de nouvelles valeurs de la masculinité, qui ne seraient pas liées à la force et à l'agressivité, mais au respect de l'autre. L'affirmation du désir peut se faire autrement que par son imposition agressive. N'est-ce pas le moment de changer les valeurs de la virilité ?

Malheureusement, on constate que, face aux transformations sociales et culturelles remettant en question la répartition traditionnelle des rôles féminins et masculins, les hommes sont désemparés. Ils ont peur de changer, d'apprendre de nouvelles façons d'être. Ils ont perdu leurs repères et ils ont surtout peur de perdre leurs privilèges de mâle.

En même temps, on continue à fabriquer des femmes gentilles, dévouées, inhibées, gardiennes de la famille. Si on veut que cesse la violence dans les couples, il faut encourager les femmes à s'affirmer sereinement, à affronter les hommes en leur mettant des limites, en disant non à certains comportements. Elles doivent prendre le contrôle de leur existence. Il leur faut éduquer leur partenaire, en refusant dès le début d'une relation certains dérapages, établir des règles sans craindre de mettre en péril leur jeune couple. Pour cela, elles ont besoin qu'on les aide à nommer sur ce qu'elles peuvent ou non tolérer.

Évidemment, il n'est pas facile pour un adulte de changer les repères qui lui ont été donnés dans l'enfance, aussi, il faut agir dès le plus jeune âge.

Un premier pas vers la prévention de la violence en général, et de la violence de couple en particulier, consisterait à s'attaquer à la racine du mal, c'est-à-dire à l'éducation. Nous avons vu que les enfants qui ont assisté à des scènes de violence entre leurs parents risquent de reproduire, à l'âge adulte, ce qu'ils ont vécu dans l'enfance, soit en se montrant eux-mêmes violents, soit en ne sachant pas se protéger des agressions. Quand nous avons étudié les profils psychologiques des individus violents, nous avons pu voir que, pour beaucoup d'entre eux, l'expérience de la violence dans l'enfance avait constitué un traumatisme jouant un rôle important dans le développement de leur personnalité. Aider les mères, c'est aussi protéger les enfants.

Il ne faut pas non plus oublier que les enfants qui ont vécu des scènes violentes au sein du couple parental ont eu un modèle de couple complètement inégalitaire. Ils ont appris que la loi du plus fort l'emporte et que les victimes ont bien du mal à sortir de leur situation. Cela aura des conséquences néfastes sur leur rapport à la loi et sur la façon dont ils construiront eux-mêmes leur couple.

Or, c'est l'éducation qui peut nous apprendre à contenir notre agressivité naturelle et à ne pas la transformer en violence. En tant que parents, nous devons apprendre à nos enfants à ne pas utiliser la violence dans la résolution des conflits, en leur offrant un modèle de respect mutuel. L'éducation ne doit pas placer la domination comme valeur principale dans le rapport à l'autre. Il faut apprendre aux jeunes à résoudre les conflits de façon pacifique, leur apprendre la tolérance et l'égalité.

Beaucoup de parents ne savent pas quelle limite donner à leurs enfants. Ils confondent violence et expression de l'agressivité. Il est normal qu'un enfant soit jaloux, agressif mais, plutôt que de l'amener à réprimer ses sentiments, il vaut mieux lui apprendre à contrôler ses comportements. En quelque sorte : « Tu as le droit d'être furieux contre ta sœur, mais ce n'est une raison pour la taper ! »

Afin que les jeunes repèrent mieux les premiers signes de violence dans leur relation à l'autre sexe, il est intéressant de travailler avec des groupes d'adolescents, à l'âge où ils connaissent leurs premiers partenaires amoureux, avant que ne s'installent des habitudes de microviolences au sein de leur couple. On peut, par des jeux de rôle, les amener à refuser la violence psychologique ; leur conseiller, par exemple, d'éviter les commentaires désobligeants concernant le physique ou la façon d'être de la personne que l'on vient de quitter. Leur faire repérer les comportements machos ; aborder avec eux les aspects négatifs de la jalousie, discuter du rôle de la pornographie, voir avec eux comment établir une relation égalitaire dans le couple. Il y a tout un travail d'éducation à faire sur la place assignée aux femmes et aux hommes dans la société et sur les difficultés que cela engendre, pour les filles comme pour les garçons. D'une façon générale, il faut leur enseigner l'acceptation de la différence et de l'autorité, la tolérance, le respect des règles.

Les jeunes sont très sensibles aux humiliations et au harcèlement moral, et ce n'est pas pour rien que le mot « respect » revient si souvent dans leur bouche. Or, dans les écoles, les microviolences et les actes d'intimidation sont rarement pris au sérieux.

Delphine et Grégoire ont tous les deux 14 ans et sont élèves dans la même classe. Ils commencent une relation amoureuse mais, après un temps, Delphine préfère mettre un peu de distance entre eux.

Vexé, Grégoire se met alors à l'« embêter » en classe. Il la bouscule dans la cour, fait tomber ses cahiers, se moque d'elle ouvertement et fait des bruits désagréables quand elle va au tableau. Personne ne dit rien : les professeurs ne semblent rien remarquer ; les copains ricanent : « C'est l'amour vache ! ». Garçons et filles comptent les points.

Ce processus se poursuit pendant plusieurs mois et Delphine en est très affectée. Ses notes s'en ressentent.

Un jour, elle se fâche et dit à Grégoire qu'elle en a marre. Il est surpris, ne comprend pas pourquoi elle réagit, s'énerve et finit par lui donner un coup de poing qui la fait saigner du nez.

Soudainement, ce qui était passé inaperçu devient visible. Delphine parle alors à ses parents qui vont voir le professeur principal et le proviseur.

Considérant qu'il s'agissait de chicaneries de gamins, aucun adulte n'était intervenu pour mettre fin aux agissements de Grégoire. On ne lui avait pas signifié clairement que son comportement était inadmissible. Il avait donc été conforté dans son attitude de « mec » qui faisait tellement rire ses copains. Quant à Delphine, elle n'était pas en mesure d'énoncer ce qu'elle subissait et avait fini par se résigner, estimant que ce comportement était inévitable entre garçons et filles.

C'est à un stade précoce qu'il faut intervenir, si on ne veut pas que s'installent des comportements violents. De tels procédés de déni ont des conséquences négatives, non seulement pour la victime qui a été atteinte dans son narcissisme, mais aussi pour les élèves témoins qui ne mesurent pas la gravité de l'incident. Quant à l'élève agresseur, il a simplement besoin, à ce stade, d'être cadré, qu'on lui rappelle les règles de respect de l'autre.

N'oublions pas que toutes les formes de violence sont liées : violence et intimidations dans les écoles, violence conjugale avec ses répercussions sur les enfants, violence au travail qui servira parfois de prétexte pour justifier la violence conjugale. Lutter contre un mode de violence, c'est aussi prévenir les autres violences.

Moins un phénomène est reconnu socialement, plus il est difficile d'en parler. Il faut donc nommer la violence et apprendre à la repérer même dans ses formes les plus subtiles. Faire passer des messages forts auprès des femmes, pour qu'elles mettent des limites : exigez le respect, n'acceptez pas la violence, sortez de l'isolement si vous pensez être victime, faites-vous aider, parlez-en à votre famille ou à une association.

Aux hommes agresseurs, il faut dire que le déni ne résout rien, que la violence est destructrice pour leur victime mais aussi pour eux-mêmes. Il faut leur indiquer les lieux de consultation et leur parler des sanctions juridiques qu'ils encourent.

Aux témoins, il faut dire qu'ils peuvent aider les femmes victimes à parler et à trouver, avec elles, des solutions.

On ne peut pas changer du jour au lendemain les mentalités, mais on peut, petit à petit, écorner les mythes et les préjugés par un travail de sensibilisation, d'information et d'éducation, favoriser le non-sexisme, responsabiliser les hommes et la société tout entière.

Les campagnes médiatiques ne doivent pas venir renforcer les stéréotypes en opposant hommes et femmes, c'est-à-dire en occultant une partie du problème. Quand un journal féminin lance une campagne contre la violence faite aux femmes et annonce que « pour mettre fin à la polémique », il traitera uniquement de la violence physique et sexuelle, il risque d'excuser d'autres violences. N'est-ce pas une façon de dire : « Tu n'as pas le droit de me battre, mais tu peux m'injurier, m'humilier », « Tu n'as pas le droit de m'agresser sexuellement, mais tu peux me traiter de putain » ?

Il est important que les campagnes médiatiques contre la violence faite aux femmes ne soient pas uniquement en direction des femmes, mais aussi des hommes. Des changements se dessinent en ce sens, localement, sous la pression des associations. Depuis septembre 2004, sept villes de Seine-Saint-Denis ont lancé une campagne contre les violences faites aux femmes qui s'adresse aux hommes. Les organisateurs, entre autres le Planning familial et le Conseil général de la Seine-Saint-Denis, s'étaient émus de ce que 36 000 femmes aient été victimes de harcèlement moral, d'agressions verbales et pour 11 000 d'entre elles de violences physiques, psychologiques et sexuelles.

Voici l'exemple d'une autre campagne qui se déroule à l'échelle mondiale.

La campagne du *Ruban blanc* a été lancée en 1991 par trois hommes de Toronto qui ont réussi à sensibiliser d'autres hommes et briser enfin le silence sur la violence masculine exercée à l'encontre des femmes. Il s'agissait, pour eux, par un petit signe, de miser sur la visibilité des hommes opposés à ces violences.

Les médias ont repris cette initiative et des actions de prévention se sont mises en place dans les écoles.

Cette campagne s'est répandue dans d'autres pays, y compris dans certains pays d'Afrique et en Chine.

CONCLUSIONS

Notre société a changé pour le meilleur et pour le pire car il se crée tous les jours de nouvelles formes de domination. Si on veut que la violence disparaisse dans nos familles, il faudrait que le groupe social lui-même ne perpétue pas le schéma domination/soumission à tous les niveaux. Or, nous sommes dans un monde où chacun peut avoir la tentation de dominer l'autre, dans une société qui n'accepte que les gagnants, ce qui n'aide pas les hommes à lâcher le pouvoir qui leur reste. Dans le monde du travail on valorise celui ou celle qui sait s'imposer sans état d'âme, et petit à petit la figure du narcissique ou même du pervers narcissique, qui saura manipuler de façon à être le plus fort, devient la référence. Les exigences de performance et de réussite individuelles sont de plus en plus mises en avant, et dans les familles, on constate de moins en moins d'interdits et de limites, mais en revanche les exigences individuelles augmentent.

Il est temps de tirer le signal d'alarme en France et partout en Europe comme cela a été fait récemment en Espagne, afin de rompre l'engrenage de la violence dans le couple.

Une société responsable doit agir en donnant aux femmes les moyens de dénoncer, de se protéger et de protéger leurs enfants. Elle doit leur donner des conditions économiques et sociales qui leur permettent de sortir de leur situation et de retrouver un emploi.

Actuellement, même s'il existe une prise de conscience de la gravité de ce problème, les moyens publics alloués à la lutte contre les violences conjugales sont insuffisants. Certes, le gouvernement est d'accord pour reconnaître l'ampleur et la gravité du phénomène, mais les moyens concrets d'une action plus efficace tardent à venir. Il serait bon que les initiatives, émanant des différents ministères ou des ONG, soient regroupées et coordonnées efficacement.

Malgré des avancées en terme de prise de conscience et de décisions politiques, il reste des lacunes à combler. Qu'il y ait une réponse judiciaire est indispensable, mais ce n'est pas suffisant. Des actions doivent être menées non seulement auprès des victimes et des individus violents, mais il importe également de sensibiliser les professionnels de l'enfance, les enseignants et les travailleurs sociaux au problème des enfants exposés aux violences dans le couple. Si on ne veut pas que s'installent des comportements violents, c'est à un stade précoce qu'il faut intervenir, afin d'élargir à une vraie prévention.

Les violences conjugales ont un impact sur la santé des femmes et des enfants, et, à ce titre sont un enjeu de santé publique mais c'est aussi un enjeu de la société tout entière et des valeurs que celle-ci veut prôner. Des comportements qui mettent à mal la dignité des personnes ne sauraient être banalisés ou considérés comme de simples affaires privées. Si nous voulons que cette société soit faite d'individus responsables, il s'agit de modifier les valeurs sociales afin de construire une société plus égalitaire et plus respectueuse.

ANNEXES

Ce que dit la loi en France

La violence conjugale n'a un statut particulier que depuis la loi n° 92-683 du 22 juillet 1992 qui stipule que la qualité de conjoint ou de concubin de la victime constitue une circonstance aggravante des « atteintes à l'intégrité de la personne ».

En France, dans l'ancien code pénal, les violences commises par le conjoint ou le concubin n'étaient pas spécifiquement désignées. Désormais, dans le nouveau code pénal en vigueur depuis le 1er mars 1994, les sanctions pénales encourues par l'agresseur sont majeures. Même si elles n'ont entraîné aucune incapacité totale de travail (ITT), ces violences constituent un délit et relèvent du tribunal correctionnel. Lorsque l'ITT est supérieure à huit jours, la peine encourue passe de 3 ans à 5 ans si les coups viennent d'un conjoint.

C'est l'ITT qui permet aux victimes de faire valoir leurs droits devant la justice. Cette ITT doit tenir compte du retentissement psychologique de la violence. Le mieux serait que ce certificat soit réalisé, quand c'est possible, dans une unité de médecine légale.

La loi n° 2000-516 du 15 juin 2000 renforce la protection des victimes.

Quelles sont les violences punies par la loi ?

Infraction	Articles du code pénal	Peine encourue
Violences ayant entraîné une ITT supérieure à 8 jours par le conjoint ou le concubin	222-12-6	5 ans d'emprisonnement et 75 000 € d'amende
Violences ayant entraîné une ITT inférieure ou égale à 8 jours, ou sans ITT, par le conjoint ou le concubin	222-13-6	3 ans d'emprisonnement et 75 000 € d'amende
Violences sur personne vulnérable avec ITT supérieure à 8 jours	222-12-2	5 ans d'emprisonnement et 75 000 € d'amende
Violences sur personne vulnérable avec ITT inférieure ou égale à 8 jours ou sans ITT	222-13-2	3 ans d'emprisonnement et 45 000 € d'amende
Torture et actes de barbarie par le conjoint ou le concubin	222-3-6	20 ans de réclusion

Depuis le 5 septembre 1990, le viol entre époux a été reconnu.

Par ailleurs, certaines formes de violences conjugales peuvent être également incriminées sans que le lien entre la victime et l'auteur soit considéré comme une circonstance aggravante.

221-1 : meurtre

221-3 : assassinat

222-15 : administration de substances nuisibles

222-16 : appels téléphoniques malveillants

222-17 : menace de commettre un crime ou un délit

222-18 : menace de commettre un crime ou un délit sous condition

222- 23 et suivants : viol

222-29/30 : autres agressions sexuelles

223-1 et suivants : risques causés à autrui

223-5 et suivants : entrave aux mesures d'assistance, omission de porter secours

224-1 : séquestration.

Quand on ne peut pas porter plainte auprès du commissariat de son quartier, on peut porter plainte directement auprès du procureur de la République.

L'enquête ENVEFF

L'enquête ENVEFF (Enquête nationale sur les violences envers les femmes en France), réalisée en 2000 par Maryse Jaspard et son équipe à la demande du service des Droits des femmes du secrétariat d'État aux Droits des femmes et à la Formation professionnelle, est la première enquête nationale sur ce thème programmée en France.

Il s'agit d'une enquête quantitative, faite par téléphone, auprès d'un échantillon représentatif de 6 970 femmes âgées de vingt à cinquante-neuf ans. L'entretien durait quarante-cinq minutes et l'enquêteur ne devait utiliser ni le mot « violence » ni le mot

« agression ». Il s'agissait de mieux cerner les divers types de violences personnelles qui s'exercent envers les femmes, à l'âge adulte, quels que soient les auteurs des violences, d'analyser les réactions des femmes aux violences subies, leurs recours auprès des membres de leur entourage et des services institutionnels, d'analyser le contexte socio-économique des situations de violence, d'appréhender les conséquences de la violence sur le plan de la santé physique et mentale.

Toutes les femmes ayant vécu une telle relation au cours des douze derniers mois (5 908) ont été interrogées. Un certain nombre d'entre elles (115) n'étaient plus en couple au moment de l'enquête. Ces dernières ont déclaré avoir subi avec cet ex-conjoint, dans l'année écoulée, trois à quatre fois plus de violence que les autres.

Quatre femmes sur dix ne s'étaient jamais confiées à d'autres personnes avant l'enquête. Cette enquête leur a permis une prise de conscience et les a amenées à reconsidérer des situations qu'elles n'auraient pas d'emblée déclarées comme violentes.

Selon Maryse Jaspard :
« Pour cette enquête, le terme de "femmes battues" couramment utilisé ne rend pas compte de la totalité des violences conjugales, puisque les pressions psychologiques y sont prépondérantes. Toutefois, distinguer les violences verbales, psychologiques, physiques ou sexuelles s'avère peu pertinent car, dans de nombreux cas, ces formes d'agression s'entrecroisent.

« C'est pourquoi nous avons construit un indicateur global de violences conjugales : 9 % des femmes en couple au moment de l'enquête ont été en situation de violences conjugales au cours des douze derniers mois. Cet indicateur est subdivisé en deux niveaux, afin de montrer la progression de la gravité des situations. Le niveau "grave" correspond au plus grand nombre : 6,7 % des femmes en couple. Le niveau "très grave" regroupe les situations de cumul de presque tous les types d'agression, les enfers conjugaux : 2,7 % des femmes en couple. »

âge	20 à 24 ans	25 à 34	35 à 44	45 à 59	ensemble
insultes et menaces verbales	6,1	4,1	4,3	3,9	**4,3**
chantage affectif	2,7	1,4	2,3	1,6	**1,8**
pressions psycho-logiques	51,2	40,1	35,4	32,6	**37**
harcèlement moral	12,1	8,3	7,5	6,5	**7,7**
agressions physiques	3,9	2,5	2,5	2,2	**2,5**
viol et autres pratiques sexuelles imposées	1,2	0,9	1	0,6	**0,9**
indice global de violences conjugales	**15,3**	**11**	**10**	**8**	**10**

Proportion de femmes ayant déclaré avoir subi des violences au cours des 12 derniers mois, selon l'âge (en %).

Quelques données internationales

Toutes les enquêtes donnent des chiffres similaires, selon que l'on tient compte ou pas de la violence psychologique.

États-Unis
Plus de 25 % des couples américains ont vécu un ou plusieurs épisodes de violence domestique.

Les chiffres de la maltraitance pendant la grossesse varient entre 1 % et 17 % (Campbell & al., 1992).

Canada
Une femme sur 4 a subi de la violence de la part de son partenaire actuel ou précédent et, dans 20 % des cas, cette violence a commencé pendant la grossesse.

Selon le Conseil consultatif canadien sur la situation des femmes, 18 % des femmes qui se présentent aux urgences des hôpitaux seraient des victimes de violence conjugale.

Chaque année, en moyenne, 20 Québécoises sont assassinées par leur conjoint (Centre canadien de la statistique juridique).

Hollande
20,8 % des femmes entre 20 et 60 ans ont subi des violences physiques dont 11 % graves et répétées, de la part de leur partenaire (Romkens, 1989).

Angleterre
Une femme sur 4 déclare avoir vécu des expériences de violence domestique, 1 femme sur 10 dans les douze derniers mois (Mooney, 1993).

Pays	Au cours de la vie de couple	Au cours des 12 derniers mois
États-Unis en 1985	28 %	25 %
Canada en 1993	25 %	3 %
Suisse en 1994	21 %	6 %
Finlande en 1997	22 %	9 %

Espagne

En Espagne, les chiffres sont effarants[1] et ont amené les politiques, sous la pression des associations féministes, à réagir :

– en 2001, 50 femmes ont été tuées par un partenaire violent ;

– en 2002, 53 femmes ;

– en 2003, 61 femmes ;

– en 2004, 58 femmes.

Selon une étude de l'Institut de la femme, près de deux millions de femmes seraient *techniquement maltraitées,* ce qui signifie pas seulement des violence physiques mais aussi des menaces, des insultes, des privations ou des vexations. D'après les données de l'enquête, ces femmes ont en majorité plus de 40 ans, sont mariées ou plus souvent divorcées, ont fait peu d'études et vivent dans une ville de plus de 20 000 habitants. 70 % de ces femmes ont attendu plus de cinq ans avant de se confier à quelqu'un. En 2003, plus de 100 Espagnoles ont été assassinées par leur conjoint, leur compagnon ou ancien compagnon.

---

1. Selon Amparo Marzal Martinez, ministère des Affaires sociales, lors des *Jornadas sobre la violencia de genero*, UNAF, 17 et 18 novembre 2004.

Partout dans le monde

D'après le sondage Eurobaromètre 1999, une femme européenne sur 5 a été, au moins une fois dans sa vie, victime de la violence de son compagnon, et 25 % des crimes concernent un homme ayant agressé sa partenaire.

Aux États-Unis, les études montrent qu'un quart des femmes ayant accès aux urgences sont victimes de violences conjugales ; en psychiatrie, un quart des femmes qui se suicident ont été victimes de violences conjugales.

Lors de ces enquêtes, il apparaît clairement que la violence psychologique est identifiée par les femmes comme faisant partie de la violence conjugale. Cela débute par du non-verbal, se poursuit par des insultes pour aboutir à la violence physique ou la mort.

Ce qui se passe au niveau européen

Au niveau européen, le Conseil de l'Europe avait adressé une première recommandation aux États membres pour lutter contre la violence familiale, mais il s'agissait avant tout de protéger les enfants.

En 1993 a eu lieu à Rome une conférence européenne pour établir un plan d'action sur la lutte contre la violence faite aux femmes. On y établissait la responsabilité de la personne qui a recours à la violence et le droit à être protégées pour les femmes victimes. On y recommandait une tolérance zéro à la violence.

En 1995, une plate-forme d'actions a été annoncée à Pékin, lors de la quatrième conférence mondiale des

Nations unies sur les femmes. La déclaration suivante était publiée : « La violence à l'égard des femmes constitue un obstacle à la réalisation des objectifs d'égalité, de développement et de paix. »

En 1997, la Commission européenne lance le programme Daphne, à hauteur de trois millions d'euros. La même année, le Parlement européen pressait la Commission de déclarer une tolérance zéro envers la violence à l'égard des femmes.

En 1997, le Lobby européen des femmes crée le Centre européen d'action politique sur la violence à l'égard des femmes et son Observatoire européen sur la violence à l'égard des femmes.

La campagne européenne contre la violence domestique s'est achevée en mai 2000 et un nouveau programme Daphne, quadriennal, a été lancé. D'après une enquête récente, 95 % des Européens pensent que celui qui bat sa femme doit être condamné par un tribunal, mais un seul cas de violence sur 20 est signalé à la police.

Dans la réalité, jusqu'à présent, les changements viennent avant tout des organisations non gouvernementales (ONG) qui ont activement contribué à la promulgation de nouvelles législations, afin de sanctionner les agresseurs dans les États membres, et ont incité les gouvernements à adopter des politiques offrant une meilleure protection aux femmes victimes.

Quoi qu'il en soit, grâce à ces débats, la définition des Nations unies s'est élargie : « Est considéré comme acte violent tout acte, omission ou conduite, servant à infliger des souffrances physiques, sexuelles ou mentales, directement ou indirectement, au moyen de tromperies, de séduction, de menaces, de contraintes, ou de tout autre moyen, à toute femme, ayant pour but et pour effet de l'intimider, de la punir, ou de l'humilier, ou de la maintenir dans des rôles stéréotypés liés à son sexe, ou de lui refuser sa dignité humaine, son autonomie sexuelle, son intégrité physique, mentale, ou morale, ou d'ébranler sa sécurité personnelle, son amour-propre, ou sa personnalité, ou de diminuer ses capacités intellectuelles. »

L'exception espagnole

L'Espagne a modifié récemment son code pénal en définissant la violence domestique de la manière suivante : « Celui qui exerce habituellement des violences physiques ou psychologiques à l'encontre de qui est ou a été son conjoint ou sur la personne qui lui est ou lui a été liée de manière stable par des liens affectifs similaires… » Une loi du 31 juillet 2003, entrée en vigueur le 2 août 2003, a créé l'Ordonnance de protection des victimes de la violence domestique.

Il s'agit de la possibilité donnée au juge d'instruction de chaque tribunal, saisi par une victime de violence domestique ou par une personne de son entourage proche ou par le ministère public, de décider, lorsqu'il existe des présomptions d'infraction pénale de violence physique ou morale, ou d'atteinte à la liberté ou à la sécurité créant une situation objective de risque pour la victime, d'ordonner – indépendamment de l'investigation pénale – diverses mesures immédiates de protection, après audition de la victime, de l'agresseur présumé (assisté d'un avocat, s'il le souhaite) et du ministère public.

À l'issue de cette audience, le juge peut ordonner la « protection » de la victime, qui va lui donner un véritable statut protecteur comprenant des mesures civiles (protection des enfants, attribution du domicile conjugal, pension alimentaire), pénales (contrôle judiciaire), ou administratives pour une durée de trente jours renouvelable une fois, le temps d'entreprendre les procédures civiles ou pénales appropriées[1].

Ces mesures étant insuffisantes, le nouveau gouvernement espagnol a voulu contrer ce fléau en prenant des mesures encore plus fortes avec *la loi de protection intégrale contre la violence de genre,* qui a été approuvée par toutes les associations. Cette loi propose une approche globale de la violence et intègre les problèmes psychologiques, sociaux et judiciaires.

Elle propose une augmentation des unités spécialisées dans la police, des mesures d'emprisonnement pour l'agresseur, si l'éloignement n'est pas respecté, une prestation de 300 euros par mois pendant dix mois pour la victime et une assistance pour son déménagement. On propose également une téléassistance aux femmes victimes, par exemple en leur fournissant des portables avec une connexion directe à un centre de secours.

La communauté de Madrid délivre gratuitement, depuis janvier 2004, aux femmes qui sont placées sous la protection de la justice, des bracelets de protection contre les mauvais traitements. Ces bracelets fonctionnent en complément d'un brassard que devront porter les personnes condamnées pour agression. Des signaux sont émis lorsque l'agresseur s'approche de sa victime habituelle à une distance de moins de cinq cents mètres ou quand il tente d'enlever l'appareil. La victime peut aussi actionner le boîtier quand elle se sent en danger. Le signal aboutit aux services d'urgence, où intervient une section spécialisée.

1. Selon un rapport de François Badie, magistrat de liaison.

ADRESSES UTILES

Violence conjugale, Femmes info service
01 40 33 80 60
01 40 02 02 33
Une permanence est ouverte du lundi au vendredi de 7 h 30 à 23 h 30 et le samedi de 10 h à 20 h.
Il s'agit d'un service anonyme et gratuit qui écoute les femmes et les oriente vers des lieux de proximité.

Institut national d'aide aux victimes et de médiation (INAVEM)
Numéro national d'orientation n° Azur 08 10 09 86 09
1 rue du Pré-Saint-Gervais, 93691 Pantin Cedex
contact@inavem.org

Fédération nationale solidarité femmes (FNSF)
32 rue des Envierges, 75020 Paris
01 40 33 80 90
fnsf.doc@wanadoo.fr
www.sosfemmes.com

Viols femmes informations
08 00 05 95 95
Du lundi au vendredi de 10 h à 19 h

Centre national d'information et de documentation des femmes et des familles (CNIDFF)
Des juristes peuvent renseigner, conseiller et orienter les femmes
7 rue du Jura. 75013 Paris
01 42 17 12 00
www.infofemmes.com

Association européenne contre les violences faites aux femmes au travail (AVFT)
01 45 84 24 24

Des centres d'hébergement existent dans tous les départements. Certains accueillent les femmes seules, d'autres des femmes avec enfants, d'autres peuvent accueillir aussi des hommes.

On en trouvera la liste pour la France et la Belgique sur le site www.sosfemmes.com

Ministère de l'Emploi et de la Solidarité, Service des droits des femmes
01 47 70 41 58
www.emploi-solidarite.gouv.fr

Ministère de la Justice
01 44 77 60 60
www.justice.gouv.fr

En cas d'urgence :
Police secours : 17
Samu : 15
Hébergement d'urgence : 115

BIBLIOGRAPHIE

Badinter E., *Fausse route,* Odile Jacob, Paris, 2003

Bourdieu P., *La Domination masculine,* Seuil, Paris, 1998.

Campbell J.C., *Assessing Dangerousness,* SAGE Publications, Paris, 1995.

Coutrot A-M., Jacquey M-J., Les femmes victimes de violences conjugales et leurs enfants, in *De la violence conjugale à la violence parentale,* Erès-Fondation pour l'enfance, Paris, 1998

Damiani C., *Les Victimes,* Bayard Editions, Paris, 1997.

Dejours C., *Souffrance en France,* Seuil, Paris, 1998.

Desurmont M., Violences pendant la grossesse, violences après la naissance, in *De la violence conjugale à la violence parentale,* Erès-Fondation pour l'enfance, Paris, 2001.

DSMIV, *Manuel diagnostique et statistique des troubles mentaux,* American Psychiatric Association, Masson pour la traduction française, 1996.

Dutton D.G., *The Domestic Assault of Women,* Allyn and Bacon, Newton Mass, 1988.

Dutton D.G., *The abusive personality,* The Guilford Press, New York, 1998.

Ehrenberg A., *La Fatigue d'être soi,* Odile Jacob, Paris, 1998.

Freud S., *Le Problème économique du masochisme,* OC, t. XVII, PUF, Paris, 1924.

Hirigoyen M.-F., *Le Harcèlement moral, la violence perverse au quotidien,* Syros-La Découverte, 1998.

Houel, Mercader, Sobota, *Crime passionnel, crime ordinaire,* PUF, Paris, 2003.

Laborit H., *Éloge de la fuite,* Robert Laffont, Paris, 1976.

Lagache D., *La Jalousie amoureuse,* PUF, Paris, 1981.

Les Femmes victimes de violences conjugales, le rôle des professionnels de santé. Rapport au ministre délégué de la Santé, par un groupe d'experts sous la présidence du professeur Roger Henrion, La Documentation française, Paris, 2001.

Marneffe C., *Interactions violentes entre les parents et les répercussions sur les enfants.* Communication présentée lors des journées « Violences familiales », Société scientifique de médecine générale belge, Harzé, le 30.11.2002.

Morvant C., *Le Médecin face aux violences conjugales,* thèse pour le diplôme de docteur en médecine, université Paris-VI – Pierre et Marie Curie, 2000.

Mosse G., *L'Image de l'homme, l'invention de la virilité moderne,* Abbeville, Paris, 1997.

Ouellet F., Lindsay J. et al., cité in *La Violence psychologique entre conjoints,* CRI-VIFF n°3, Montréal, 1993.

Orwell G., *1984,* Folio, 1981.

Parent C., Le système judiciaire dans la lutte contre la violence exercée contre une conjointe : une mesure incontournable mais piégée, in *La Violence conjugale, Partnergeweld,* Bruylant, Bruxelles, 2004.

Racamier P.-C., « Pensée perverse et décervelage », in « Secrets de famille et pensée perverse », *Gruppo* n° 8, Apsygée, Paris, 1992.

Renzetti, C. M., *Violent Betrayal : Partner Abuse in Lesbian Relationships,* Newbury Park, CA Sage, 1992.

Shengold L., *Meurtre d'âme, le destin des enfants maltraités,* Calmann-Lévy, Paris, 1998.

Sluzki C., in *Violencia familiar y violencia politica, Nuevos pardigmas, cultura y subjetividad,* Paidos, Buenos-Aires, 1994.

Walker L., *Battered Woman Syndrome,* Ed. Springer, New York, 1984.

Walker L.E., *The Battered Woman,* Harper & Row, New York, 1979.

Welzer-Lang D., *Arrête ! Tu me fais mal !,* VLB éditeur, Montréal, 1992.

TABLE DES MATIÈRES

Des mots pour le dire

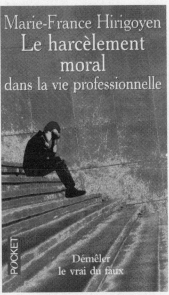

Marie-France Hirigoyen
Le harcèlement moral
dans la vie professionnelle

Démêler
le vrai du faux

(Pocket n° 11413)

Après le succès de son premier ouvrage *Le harcèlement moral*, l'accumulation de témoignages et l'observation de nouvelles affaires de harcèlement, tant dans le secteur public que dans le privé, ont permis à Marie-France Hirigoyen d'affiner son analyse et de tenter d'établir les bases d'une prévention de ce mal social qui concerne chacun d'entre nous.

Il y a toujours un Pocket à découvrir

Faites de nouvelles
découvertes sur
www.pocket.fr

Des 1ers chapitres à télécharger
Les dernières parutions
Toute l'actualité des auteurs
Des jeux-concours

Il y a toujours
un **Pocket** à découvrir

Composé par Nord Compo
à Villeneuve-d'Ascq

Impression réalisée par

C P I
Brodard & Taupin
51952 – La Flèche (Sarthe), le 29-04-2009

Dépôt légal : septembre 2006
Suite du premier tirage : mai 2009

POCKET – 12, avenue d'Italie - 75627 Paris cedex 13

Imprimé en France